Contents

Forward

Latin has a long and rich history. From the early years of republican Rome all the way to the present day, some of the greatest literature has been written in the Latin language. Foremost among this exalted corpus must be placed the Latin writings of Catholic Christians. For nearly two millenia Latin has been the official and sacred language of the Catholic Church and has been the chosen medium of expression for some of its most notable saints and theologians. These luminaries include St. Thomas Aquinas, St. Augustine of Hippo, St. Ambrose of Milan, and St. Bonaventure. Moreover, traditionally the Mass and other liturgies of the Church have been celebrated in Latin, and in many ways the sacred words of these liturgies are best understood in Latin. Latin is the language of the culture of Catholicism and of the Divine heritage of the Catholic Church.

It is remarkably unfortunate, therefore, that nearly every Latin grammar available in English is structured around the classical culture of ancient Rome. There is no complete, introductory, and adequately accessible grammar appropriate for middle school and above that is oriented towards Roman Catholicism. This book attempts to fill this void. It is the brainchild of many years teaching at a traditionally-cultured Catholic school where prayers and liturgies are regularly in Latin. It is the result of many years speaking with Catholics who yearn to grow closer to the Church through the Latin liturgies but want to understand what they are praying. It is the fruit of many years leading Catholics closer to their God-given heritage of Latin and seeing the joy that this knowledge brings. Catholics, particularly those who love the Latin liturgies, should find in this a book to call their own.

Latin for Roman Catholics has three main sections. The first is the grammar itself divided into thirty-three chapters. Each chapter is divided into smaller units indicated with Roman numerals. Deliberately spare, the grammar avoids the clutter of information that is not truly necessary for reading Latin. By doing so, the grammar ensures that what is truly important never gets lost or overlooked.

The second section is the *sententiae*, collections of Latin sentences drawn from a wide variety of sources, but particularly Catholic sources. These are divided and arranged into chapters to correspond to the grammar learned in the corresponding chapter. By reading and learning these passages, the student will not only learn how to read the Latin of the Church, but will actually read many of the most famous and important passages of Catholic literature.

The third section is the vocabulary, where Latin words needed to read the *sententiae* are organized into corresponding chapters. These vocabulary words must be learned in union with the grammar if the *sententiae* are to be translated. The vocabulary words have been selected as those most important for reading Catholic writings.

This book is designed to teach the reading of Latin; nevertheless, it is important to know how to pronounce the Latin words in their ecclesiastical contexts. The following list highlights the most important rules to know:

1. *ae, oe* - this diphthong is pronounce like the long *a* in *ate*
2. *a* - this letter is pronounced like *o* in *lot*
3. *c* - this letter is hard "k" before *a, o, u,* or a consonant, but soft "ch" before *e, i, ae, oe*
4. *g* - this letter is hard "g" before *a, o, u,* or a consonant, but soft "j" before *e, i, ae, oe*

5. *i* - this letter is often pronounced like *ee* in *feed*
6. *ti* - this combination is often pronounced "tsee"
7. *ch* - this combination is pronounced "k"
8. *j* - this letter is pronounced "y"
9. *sc* - this combination is pronounced "sh" before *e, i, ae, oe*
10. *th* - this combination is pronounced "t"
11. *gn* - this combination is pronounced "ny"

Knowing these rules will better enable the student to read the *sententiae* and properly sing or recite Latin hymns, prayers, and liturgical responses.

Before sending the student off to explore the rich waters of Catholic Latin literature, I wish to mention with affection the many students I have taught over the years. Without their enthusiasm, encouragement, and zeal in pointing out my mistakes and shortcomings, this book would not have been possible, and I am pleased to dedicate it to all of them.

Confidens hoc ipsum quia qui coepit in vobis opus bonum, perficiet usque in diem Christi Jesu--I am confident of this, that he who has begun a good work in you will bring it to fulfillment on the day of Christ Jesus. (Phil.1:6) May St. Benedict, patron saint of students, and the Blessed Virgin Mary look with favor upon this work and bless all of you who learn from it. Amen.

Grammar

Chapter One
Present Tense

(I) Latin is an inflected language. Unlike English, which employs certain prepositions, word order, subject pronouns, and helping verbs to convey its meaning, Latin expresses itself with different suffixes (endings to words).

Examples: you were asking - roga<u>bas</u>   they will ask - roga<u>bunt</u>

         of the servants - serv<u>orum</u>   to the servant - serv<u>o</u>

These suffixes are exceptionally numerous and form the bulk of Latin grammar.

(II) When the subject of active verbs is a personal pronoun, the following suffixes are used:

I - o	we - mus
you - s	y'all - tis
he/she/it - t	they - nt

Note: Subject nouns take the endings *t* (singular) and *nt* (plural).

Examples: Maria orat - Mary prays   Jesus et Maria orant - Jesus and Mary pray

(III) The present tense in Latin can be considered the most basic tense; no further suffixes are attached to the verbal stem except the pronominal endings.

Examples: oramus - we pray   habetis - y'all have

(IV) Latin has four patterns or types of verbs, also known as conjugations. The first conjugation has a characteristic *a* vowel, and the second conjugation has a characteristic *e* vowel:

	1				2		
	(Oro)				(Habeo)		

Present

I	or<u>o</u>	or<u>a</u>mus		hab<u>eo</u>	hab<u>emus</u>	we
you	or<u>as</u>	or<u>a</u>tis		hab<u>es</u>	hab<u>etis</u>	y'all
he/she/it	or<u>at</u>	or<u>ant</u>		hab<u>et</u>	hab<u>ent</u>	they

Examples: oras - you pray   habes - you have

         habemus - we have   sperant - they hope

         volatis - y'all fly   exorat - he pleads

         stat - she stands   video - I see

Note: The personal suffixes on verbs should be memorized with the vowel of their conjugation.

(V) Every verb in Latin is known by its principal parts. These four parts are the name of the verb. They tell you vital information about the verb, including which conjugation it belongs to. Some verbs don't have all four principal parts.

Examples: or<u>o</u>, or<u>are</u>, oravi, oratus - 1st conjugation
vid<u>eo</u>, vid<u>ere</u>, vidi, visus - 2nd conjugation

(VI) Questions in Latin are indicated by suffixing *-ne* on the end of the first word of the sentence.

Example: spirone - am I breathing?

First Declension Feminine

(I) *Case* refers to how a noun is used in a sentence.

English example: The <u>man</u> eats the <u>sandwich</u>. *Man* and *sandwich* play different roles in the sentence.

(II) There are five basic cases in Latin:
1. Nominative - (subject)
2. Genitive - ("of___")
3. Dative - ("to___")
4. Accusative (direct object)
5. Ablative ("with___")

English example: Knowledge of Latin gives wisdom to the student with joy.
Knowledge - Nominative, *Latin* - Genitive, *Student* - Dative,
Wisdom - Accusative, *Joy* - Ablative

(III) In English, case is specified by word order. In Latin, case is specified by suffixes.

(IV) Latin has five declensions (patterns) of case endings. The suffixes are specific to case, number, and gender.

(V) The first declension is reliably feminine. The suffixes must be memorized:

	sg.	pl.
Nom.	a	ae
Gen.	ae	arum
Dat.	ae	is
Acc.	am	as
Abl.	a	is

Example: (Vita)

	sg.	pl.
Nom.	vita	vitae
Gen.	vitae	vitarum
Dat.	vitae	vitis
Acc.	vitam	vitas
Abl.	vita	vitis

Examples: vita - life *or* with life   gloriis - to glories *or* with glories
vitarum - of the lives   gratiam - grace (direct object)

(VI) Adjectives have the same case, number, and gender as the noun they describe.

Examples: amica caeca - a blind friend   aurorarum plenarum - of full dawns

(VII) Adjectives can also be used as nouns.

Example: caeca - blind *or* blind woman

(VIII) The name Maria (Mary) follows the first declension pattern. The name Jesus is irregular and must be learned:

Nom.   Jesus
Gen.   Jesu
Dat.   Jesu
Acc.   Jesum
Abl.   Jesu

Note: When Jesus is addressed, the form of his name is *Jesu.*

(IX) The *sententiae* begin in this chapter. Here are some hints to remember when translating:

1. Latin often omits the verb "to be."

    Example: Maria non caeca - Mary is not blind

2. There are no "a" or "the" articles in Latin.

    Example: aurora - a dawn *or* the dawn

3. Some Latin words are so similar to English words that they are not included in the vocabulary but should be inferred.

    Examples: doctrina - doctrine   pastor - pastor, shepherd

4. Often, proper nouns do not decline.

    Example: David - David *or* of David *or* to David *or* with David

Second Declension Masculine

(I) The second pattern of case suffixes for nouns is the second declension. **Nouns belong to a specific declension.** In the vocabulary, nouns are listed in their nominative singular. Nouns ending in *-a* are first declension feminine, while nouns ending in *-us* or *-er* are second declension masculine, unless otherwise noted.

(II) Whereas the first declension is reliably feminine, the second declension is reliably masculine.

	sg.	pl.
Nom.	(us)	i
Gen.	i	orum
Dat.	o	is
Acc.	um	os
Abl.	o	is

Examples: (Servus)

	sg.	pl.
Nom.	servus	servi
Gen.	servi	servorum
Dat.	servo	servis
Acc.	servum	servos
Abl.	servo	servis

	(Filius) sg.	pl.	(Magister) sg.	pl.
Nom.	filius	filii	magister	magistri
Gen.	filii	filiorum	magistri	magistrorum
Dat.	filio	filiis	magistro	magistris
Acc.	filium	filios	magistrum	magistros
Abl.	filio	filiis	magistro	magistris

Note: There are doubled *i*'s in *filii* and *filiis*. The stem ends in an *i*, and sometimes the suffix includes an *i*. When this happens, you write both *i*'s.

Note: In the nominative singular, most second declension nouns end in *-us*. This is a suffix that can be replaced by other suffixes. However, *-r* is not a suffix and is retained.

Note: The *e* drops out in the declension of *magister*. Almost all second declension nouns that end in *r* decline like *magister* except *vir* and *puer*, which do not modify their stem.

Examples: filiorum - of sons   magistri - teachers *or* of the teacher

        servo - to a slave *or* with a slave   Deum - God (direct object)

(III) When addressing someone in the second declension, the ending is *-e*. This is only for singular words whose nominative singular ends in *-us* and does not include *Deus*. For words ending in *-ius* the ending *-us* is simply dropped. This form is called the vocative.

Examples: domine - lord!

        fili - son!

(IV) Adjectives have the same case, number, and gender as the noun they describe, but, unlike nouns, they can vary across both the first and the second declensions.

Examples: domini caeci - of the blind lord   umbra nostra - our shadow

(V) The second principal part of Latin verbs is called the infinitive. It is translated "to__."

Examples: spirare - to breathe   videre - to see   sperare - to hope

(VI) Commands in Latin are called imperatives. These are formed by removing the *-re* ending of the infinitive. If the command is addressed to multiple people, the suffix *-te* is used.

Examples: sta - stand! (to one person)   state - stand! (to multiple people)

        vide - see! (to one person)   videte - see! (to multiple people)

Second Declension Neuter

(I) There are three genders in Latin: masculine, feminine, and neuter. The feminine words follow the first declension while the masculine words follow the second declension. The declension for the neuter words is so similar to the declension for the masculine words that it is not called a separate declension, but "second declension neuter." The peculiarly neuter endings are in bold.

	sg.	pl.
Nom.	**um**	**a**
Gen.	i	orum
Dat.	o	is
Acc.	um	**a**
Abl.	o	is

Example: (Regnum)

	sg.	pl.
Nom.	regnum	regna
Gen.	regni	regnorum
Dat.	regno	regnis
Acc.	regnum	regna
Abl.	regno	regnis

Examples: arma - weapons   auxilio - to the help *or* with the help
            peccatorum - of sins   peccatis - to sins *or* with sins

(II) As already mentioned, adjectives must match the noun they describe in case, gender, and number.

Examples: regni sancti - of a holy kingdom   agnus benedictus - a blessed lamb
            horarum dignarum - of worthy hours   agnorum dignorum - of worthy lambs

(III) Infinitives can sometimes be used as neuter nouns.

Examples: amare magnum est - it is great to love
            benedictum spirare est - it is blessed to breathe

Chapter Five
Imperfect and Future Tenses

(I) There are three tenses formed from the first two principal parts: present, imperfect, and future. The present tense for the first two conjugations was covered in chapter one; here are the forms for the imperfect and future tenses:

	(Oro)			(Video)		
Imperfect						
I	orab**am**	orabamus		videb**am**	videbamus	we
you	orabas	orabatis		videbas	videbatis	y'all
he/she/it	orabat	orabant		videbat	videbant	they
Future						
I	orabo	orabimus		videbo	videbimus	we
you	orabis	orabitis		videbis	videbitis	y'all
he/she/it	orabit	orabunt		videbit	videbunt	they

Note: The personal suffix for first person singular "I" in the imperfect is *m* not *o.* The *m* has been placed in bold to highlight this.

(II) The imperfect is translated "was __ing."

Examples: orabam - I was praying   videbamus - we were seeing

(III) The future is translated "will __."

Examples: donabit - she will grant   gaudebunt - they will rejoice

Third Declension

(I) The third declension can take masculine, feminine, or neuter genders. These genders are noted in the vocabulary.

(II) The nominative singular of a third declension word is frequently different from its stem.

Example: <u>leg</u>es - laws (nom.pl.)   <u>leg</u>ibus - to the laws (dat.pl.)   lex - law (nom.sg.)

In the vocabulary, the nominative singular as well as the genitive singular are given; the stem can be found by removing the genitive ending *-is.*

Example: lex, legis - law (f) (stem: leg-)

(III) The neuter suffixes, as in the second declension, are slightly different. Notably, the accusative singular is the same as the nominative singular, whatever that might be.

(IV) The third declension suffixes are as follows:

	(feminine/masculine)		(neuter)	
	<u>sg.</u>	<u>pl.</u>	<u>sg.</u>	<u>pl.</u>
Nom.	--	es	--	a
Gen.	is	um	is	um
Dat.	i	ibus	i	ibus
Acc.	em	es	--	a
Abl.	e	ibus	e	ibus

Examples:

	(Caritas) (f)		(Pater) (m)	
	<u>sg.</u>	<u>pl.</u>	<u>sg.</u>	<u>pl.</u>
Nom.	caritas	cartitates	pater	patres
Gen.	caritatis	caritatum	patris	patrum
Dat.	caritati	caritatibus	patri	patribus
Acc.	caritatem	caritates	patrem	patres
Abl.	caritate	caritatibus	patre	patribus

	(Mos) (m)		(Nomen) (n)	
	<u>sg.</u>	<u>pl.</u>	<u>sg.</u>	<u>pl.</u>
Nom.	mos	mores	nomen	nomina
Gen.	moris	morum	nominis	nominum
Dat.	mori	moribus	nomini	nominibus
Acc.	morem	mores	nomen	nomina
Abl.	more	moribus	nomine	nominibus

Examples: caritate - with love

    matrem - mother (direct object)

    homini - to the human

    laudis - of praise

    cor - heart (acc. *or* nom.)

nomina - names (subject *or* direct object)

pater - father (subject)

operum - of the deeds

cordibus - to hearts *or* with hearts

lumen - light (acc. *or* nom.)

(V) Adjectives from the first/second declensions match third declension nouns in case, number, and gender, even if their suffixes may be different.

Examples: mores magni - great customs

nomen magnum - a great name

Third Declension Adjectives

(I) As there are first/second declension adjectives, so also there are third declension adjectives. Their suffixes are similar to third declension nouns but have some important differences which are placed in bold.

	(feminine/masculine)		(neuter)	
	sg.	pl.	sg.	pl.
Nom.	--	es	**e**	**ia**
Gen.	is	**ium**	is	**ium**
Dat.	i	ibus	i	ibus
Acc.	em	es	**e**	**ia**
Abl.	**i/e**	ibus	**i/e**	ibus

Examples: (Fortis) (m/f) · (Fortis) (n)

	sg.	pl.	sg.	pl.
Nom.	fortis	fortes	forte	fortia
Gen.	fortis	fortium	fortis	fortium
Dat.	forti	fortibus	forti	fortibus
Acc.	fortem	fortes	forte	fortia
Abl.	forti	fortibus	forti	fortibus

Note: Adjectives that end in *-ns* do not take the ending *e* in the neuter nominative and accustaive singular, remaining unchanged.

(II) As with adjectives from the first/second declension, adjectives from the third declension match the nouns they describe in case, number, and gender no matter what declension the nouns are from, even if their suffixes may be different.

Examples: vita brevis - a short life

dominum fortem - a strong lord (acc.)

flumen dulce - a sweet river

mel pulchrum - beautiful honey

(III) Some third declension nouns take one or more of the third declension adjective suffixes. It is not necessary to memorize which nouns do this.

Example: gentium - of the nations

(IV) Many English words are drawn from Latin words, and many complex Latin words are derived from more simple Latin words. These words are typically neither included in the vocabulary nor glossed in the *sententiae*--the student is expected to infer their meaning. The following are some tips in this regard that the student may find helpful:

1. Latin words ending in *-tia, -tudo,* and *-tas* are abstract nouns typically formed off of adjectives.

   Examples: fortis - strong   fortitudo - strength
            potens - powerful   potentia - power
            verus - true   veritas - truth

2. Latin words ending in *-um* (second declension neuter) are often abstract nouns formed off of verbs.

   Example: regno - I reign   regnum - kingdom

3. Latin words ending in *-tia* are often adopted into English by changing *-tia* to *-ce.*

   Examples: obedientia - obedience   conscientia - conscience

4. Latin words ending in *-tor, -toris* are agent words similar to English words ending in *-er.* The feminine agent form is *-trix, -tricis.*

   Examples: peccator - sinner   peccatoris - of the sinner
            imperatrix - empress   imperatricis - of the empress

5. Prepositions are frequently prefixed to verbs to slightly alter their meaning. Common prefixes include *re-* (again), *in/im-* (not), and *cum/con/col-* (wIth).

   Examples: oro - I pray   exoro - I pray out, pray fervently
            stant - they stand   praestant - they stand in front
            manet - he remains   remanet - he remains
            juvas - you help   adjuvas - you help

6. English words are often derived from the fourth principal part of a Latin verb.

   Example: dono, donare, donavi, donatus - to donate

7. Often *fic* (from *facio,* chapter eight) can be inserted (infixed) into a word to mean "make."

   Examples: sanctificare - to make holy   magnificas - you make great

8. Third declension words ending in *-o* typically add *n* to form their stem (as in *sermo, sermonis*). In these cases, English words are often formed from the Latin stem.

   Examples: sermo - sermon   imitatio - imitation

Third Conjugation

(I) There are four conjugations (patterns) of verbal suffixes. **Verbs belong to a specific conjugation.** The conjugation of a verb can be deduced from its first two principal parts. The endings marking the third conjugation are *-o, -ere.*

Examples: or<u>o</u>, or<u>are</u>, oravi, oratus - first conjugation
	hab<u>eo</u>, hab<u>ere</u>, habui, habitus - second conjugation
	cred<u>o</u>, cred<u>ere</u>, credidi, creditus - third conjugation
	aud<u>io</u>, aud<u>ire</u>, audivi, auditus - fourth conjugation

(II) The first conjugation is noteworthy for its *a* stem. The second conjugation is noteworthy for its *e* stem. The third conjugation is noteworthy for having no theme vowel.

(III) The present, imperfect, and future tenses are as follows, with unusual forms in bold:

(Credo)

Present

I	cred<u>o</u>	cred<u>imus</u>	we
you	cred<u>is</u>	cred<u>itis</u>	y'all
he/she/it	cred<u>it</u>	cred**unt**	they

Imperfect

I	cred<u>ebam</u>	cred<u>ebamus</u>	we
you	cred<u>ebas</u>	cred<u>ebatis</u>	y'all
he/she/it	cred<u>ebat</u>	cred<u>ebant</u>	they

Future

I	cred**am**	cred<u>emus</u>	we
you	cred<u>es</u>	cred<u>etis</u>	y'all
he/she/it	cred<u>et</u>	cred<u>ent</u>	they

Examples: credam - I will believe   dirigebant - they were guiding
	diligetis - y'all will love ponunt - they put

(IV) The third conjugation imperative forms are slightly irregular, with an *i* stem before the plural suffix.

Example: crede - believe! credite - believe! (to multiple people)

Fourth Conjugation

(I) The fourth conjugation is known from the endings *-io, -ire* in the first two principal parts of its verbs.

(II) The forms of the fourth conjugation are similar to the third conjugation but with a thematic *i* vowel.

(Venio)

Present

I	venio	venimus	we
you	venis	venitis	y'all
he/she/it	venit	veniunt	they

Imperfect

I	veniebam	veniebamus	we
you	veniebas	veniebatis	y'all
he/she/it	veniebat	veniebant	they

Future

I	veniam	veniemus	we
you	venies	venietis	y'all
he/she/it	veniet	venient	they

Examples: veniemus - we will come   audiunt - they hear

(III) The imperatives are regular:

Example: veni - come!   venite - come! (to multiple people)

(IV) Some verbs are a mix of third and fourth conjugations. These verbs have the ending *-io, -ere* in their first two principal parts. Simply stated, they take fourth conjugation forms with the exception of their infinitive and imperatives, which are third conjugation.

Examples: faciunt - they make   fugere - to flee
        fugiebam - I was fleeing   suscipe - receive!
        suscipiam - I will receive   facite - make! (to multiple people)

Chapter Ten
Sum and *Possum*

(I) There are two very important verbs in Latin, the verb *sum, esse, fui, futus - to be* and the verb *possum, posse, potui - to be able.* Unfortunately, their forms are completely irregular:

(Sum)

Present

I	sum	sumus	we
you	es	estis	y'all
he/she/it	est	sunt	they

Imperfect

I	eram	eramus	we
you	eras	eratis	y'all
he/she/it	erat	erant	they

Future

I	ero	erimus	we
you	eris	eritis	y'all
he/she/it	erit	erunt	they

(Possum)

Present

I	possum	possumus	we
you	potes	potestis	y'all
he/she/it	potest	possunt	they

Imperfect

I	poteram	poteramus	we
you	poteras	poteratis	y'all
he/she/it	poterat	poterant	they

Future

I	potero	poterimus	we
you	poteris	poteritis	y'all
he/she/it	poterit	poterunt	they

Examples: eras - you were   poterimus - we will be able

            estis - y'all are   possunt - they are able

(II) The imperatives of *sum* are *es* and *este*. The imperatives of *possum* are *potes* and *poteste*.

Chapter Eleven
The Fourth Principal Part

(I) The fourth principal part of Latin verbs is used to form two types of participles, the perfect passive participle and the future active participle.

(II) The perfect passive participle is simply the fourth principal part, declined as an adjective to match the noun it describes in case, number, and gender. The perfect passive participle declines as a first/second declension adjective. It is translated "having been __(ed)."

Examples: regina custodita - the queen having been guarded
      regi docto - to the king having been taught
      gentes victas - the tribes having been conquered (acc.)

Note: The perfect passive participle may be translated without the "having been."

Example: doctus - having been taught *or* taught

(III) The future active participle is formed by infixing *-ur-* before the declined suffix of the perfect passive participle. It is translated "about to __" or "going to___." Like the perfect passive participle, the future active participle declines as a first/second declension adjective.

Examples: servus fugiturus - a slave going to flee
      amica ventura - a friend about to come
      custodes inventuri - guards about to find

(IV) The perfect passive participle is very frequently employed in the ablative case. This construction is known as the ablative absolute.

Example: homine viso - with the man having been seen

(V) Indirect statements in Latin are expressed by employing the infinitive of the verb with its subject in the accusative case.

Examples: dirigo hominem stare - I direct the man to stand *or* I direct that the man stand
      credo Jesum Deum esse - I believe Jesus to be God *or* I believe that Jesus is God

Chapter Twelve
The Present and Future Passive Participles

(I) The present participle in Latin is formed from the first two principal parts. It is an adjective translated as "__ing" in English. The endings are as follows:

First conjugation: *-ans, -antis*
Second conjugation: *-ens, -entis*
Third conjugation: *-ens, -entis*
Fourth conjugation: *-iens, -ientis*

Examples: regnans - reigning
habens - having
vincens - conquering
aperiens - opening

Note: -io, -ere verbs (such as *facio*) take fourth conjugation participial suffixes.

Example: faciens - doing

(II) The present participle is declined like a third declension adjective, matching the noun it describes in case, number, and gender. Its stem is *-nt-* as in *dans, dantis - giving.*

Examples: regem venientem - a coming king (acc.)
amicas viventes - living friends (acc.)
dominus custodiens - a guarding lord
custodes stantes - standing guards

Note: Present participles, as third declension adjectives ending in *-ns,* do not take the ending *e* in the neuter nominative and accusative singular, remaining unchanged.

Example: judicium veniens - coming judgement

(III) The future passive participle is translated "about to be __(ed)." It is formed from the present participle, replacing the *-nt-* stem with *-nd-*, and then declined as a first/second declension adjective.

Examples: audiendus homo - the man about to be heard
lucem videndam - a light about to be seen (acc.)

Note: The future passive participle may simply be translated "to be __(ed)."

Example: vincendus - about to be conquered (m.sg.) *or* to be conquered (m.sg.)

(IV) The future passive participle is often used to express necessity or obligation. This construction is called the passive periphrastic.

Example: Jesus laudandus est - Jesus is to be praised

Note: If there is an agent in a passive periphrastic phrase, the agent is placed in the dative case.

Example: Maria patri laudanda est - Mary is to be praised by the father.

(V) If the future passive participle is used after the preposition *ad*, it indicates purpose. This construction is called the gerundive of purpose.

Example: ad aperiendum - towards to be opened = in order to open

Personal Pronouns

(I) Like English, Latin has a series of personal pronouns. Gender is indicated only by the third person pronouns. Alternate forms are in parentheses.

	Ego (I)	**Tu (you)**	**Nos (we)**	**Vos (y'all)**
Nom.	ego	tu	nos	vos
Gen.	mei	tui	nostrum (nostri)	vestrum (vestri)
Dat.	mihi	tibi	nobis	vobis
Acc.	me	te	nos	vos
Abl.	me	te	nobis	vobis

	He	**She**	**It**
Singular			
Nom.	is	ea	id
Gen.	ejus	ejus	ejus
Dat.	ei	ei	ei
Acc.	eum	eam	id
Abl.	eo	ea	eo
Plural			
Nom.	ei (ii)	eae	ea
Gen.	eorum	earum	eorum
Dat.	eis	eis	eis
Acc.	eos	eas	ea
Abl.	eis	eis	eis

Examples: mihi - to me

        vobis - to y'all *or* with y'all

        eorum - of them (m/n)

        eae - they (f)

        eum - him (direct object)

        tui - of you

nostri - of us

ejus - his *or* her *or* its

id - it (subject *or* direct object)

eam - her (direct object)

eo - with him *or* with it

eis - to them *or* with them

Note: The nominative forms of the personal pronouns are only used for emphasis.

(II) The pronoun *idem - the same* is formed by adding *-dem* to the declined forms of *is, ea, id*. There are a few changes (e.g. *is + dem = idem, eum + dem = eundem*), but these need not be learned.

Example: eorundem - of the same people (m)

(III) If the third person pronoun refers back to the subject, the following pronoun is used, both for singular and plural. It is translated *himself, herself,* or *themselves.* There is no nominative.

Gen.   sui
Dat.   sibi
Acc.   se
Abl.   se

Examples: se laudat - he praises himself
sibi dant - they give to themselves

Note: Reflexive pronouns for first and second person do not vary from the normal first and second person pronouns.

Example: me laudo - I praise myself

(IV) The adjectival form of *se* is *suus - his/her/their own.*

Examples: amica sua - her/his/their own friend (f)
nomen suum - his/her/their own name

(V) The preposition c*um - with* when joined with *me, te, se, nobis,* or *vobis* is suffixed to the pronoun rather than placed before it.

Examples: mecum - with me
nobiscum - with us
secum - with himself/herself/themselves

Passive Voice

(I) Until this chapter the conjugated verbal forms have been in the active voice, where the subject is the doer of the verb. Verbs, however, may also be used in the passive voice, where the subject is what is done by the verb.

Examples: a father grants - pater donat (active)

a name is granted - nomen donatur (passive)

(II) To form the passive in Latin, the active personal pronoun suffixes are altered:

(Active)

I - **o**	we - **mus**
you - **s**	y'all - **tis**
he/she/it - **t**	they - **nt**

(Passive)

I - **r**	we - **mur**
you - **ris**	y'all - **mini**
he/she/it - **tur**	they - **ntur**

Consider the following paradigms:

(Do)		(Teneo)		(Ago)		(Invenio)	

Present

dor	damur	teneor	tenemur	agor	agimur	invenior	invenimur
daris	damini	teneris	tenemini	**ageris**	agimini	inveniris	invenimini
datur	dantur	tenetur	tenentur	agitur	aguntur	invenitur	inveniuntur

Imperfect

dabar	dabamur	tenebar	tenebamur	agebar	agebamur	inveniebar	inveniebamur
dabaris	dabamini	tenebaris	tenebamini	agebaris	agebamini	inveniebaris	inveniebamini
dabatur	dabantur	tenebatur	tenebantur	agebatur	agebantur	inveniebatur	inveniebantur

Future

dabor	dabimur	tenebor	tenebimur	agar	agemur	inveniar	inveniemur
daberis	dabimini	**teneberis**	tenebimini	ageris	agemini	invenieris	inveniemini
dabitur	dabuntur	tenebitur	tenebuntur	agetur	agentur	invenietur	invenientur

Note: -iris → -eris except in the fourth conjugation second person singular present. The verbal forms affected by this are in bold.

Examples: tenetur - it is held   vincentur - they will be conquered
             diligor - I am loved   daberis - you will be given
             amabar - I was being loved   inveniebatur - it was being found

(III) The passive infinitive is formed by replacing the final *e* of the active infinitive with an *i* for the first, second, and fourth conjugations. The third conjugation replaces the entire active ending *-ere* with *-i*.

Examples: laudari - to be praised
             teneri - to be held
             audiri - to be heard
             vinci - to be conquered

(IV) The passive imperatives have the ending *-re* in the singular and *-mini* in the plural.

Examples: dare - be given!
             tenemini - be held! (plural)
             vincere - be conquered!
             dirigimini - be guided! (plural)
             invenire - be found!

(V) For persons, agency in the passive is expressed with the preposition *a/ab* followed by the ablative case. For impersonal agents, the *a/ab* is omitted with the agent remaining in the ablative case.

Examples: a viro laudatur - he is praised by the man
             ab amica dabitur - it will be given by the friend
             fama nomen datur - a name is given by fame

(VI) Rarely, some verbs in the passive have impersonal meanings.

Example: intratur - one/someone enters

Relative Pronoun

(I) The relative pronoun, used in a subordinate clause, refers to a subject previously expressed in the main clause. The pronoun must agree with its antecedent (the subject it refers to) in gender and number, but its case is determined by its function in its own clause. These usage rules are the same in English as in Latin.

(II) The relative pronoun can be translated *who, whose, whom, which,* or *that:*

Singular

	M	**F**	**N**
Nom.	qui	quae	quod
Gen.	cujus	cujus	cujus
Dat.	cui	cui	cui
Acc.	quem	quam	quod
Abl.	quo	qua	quo

Plural

	M	**F**	**N**
Nom.	qui	quae	quae
Gen.	quorum	quarum	quorum
Dat.	quibus	quibus	quibus
Acc.	quos	quas	quae
Abl.	quibus	quibus	quibus

Examples: vir qui Deo credit - the man who believes God

dominus cujus servus liber non est - the lord whose servant is not free

homo cui lumen do - the man to whom I give a light

(III) The interrogative pronoun is declined like the relative pronoun, except that the nominative (m, f, n) singular is *quis, quis, quid.*

Example: quid est? - what is it?

Note: The accusative neuter singular is *quid.*

(IV) The relative and interrogative pronouns can be modified with suffixes or other changes to form other pronouns.

1. -dam - a certain

   Example: quidam - a certain man

2. -quam - any

   Example: quisquam - anyone

3. -que - each/every

   Example: quaeque - each one, every one (f)

4. -cumque - soever

   Example: quodcumque - whatsoever

5. The prefix *ali-* indicates "someone, anyone."

   Example: aliquid - anything

6. Repeating the interrogative pronoun indicates "whoever/whatever."

   Example: quidquid - whatever

Chapter Sixteen
Perfect System Active

(I) There are two systems of tenses in Latin: the present system (containing the present, imperfect, and future tenses) and the perfect system (containing the perfect, pluperfect, and future perfect tenses). Using the verb "act," the six tenses are translated as follows:

Present: I act, I am acting

Imperfect: I was acting

Future: I will act, I will be acting

Perfect: I acted, I have acted

Pluperfect: I had acted

Future Perfect: I will have acted

(II) The perfect, pluperfect, and future perfect suffixes are the same for all conjugations. They are attached to the **3rd Principal Part** stem.

Perfect

i	imus
isti	istis
it	erunt

Pluperfect

eram	eramus
eras	eratis
erat	erant

Future Perfect

ero	erimus
eris	eritis
erit	erint

Examples: laudavi - I praised

viderint - they will have seen

vixeras - you had lived

Perfect System Passive

(I) The passive of the perfect, pluperfect, and future perfect tenses is formed simply with the perfect passive participle (the fourth principal part), declined to agree with its subject in gender, number, and case (always nominative), and the appropriate form of the verb *sum*.

(II) The present tense of *sum* is used for the perfect, the imperfect of *sum* is used for the pluperfect, and the future of *sum* is used for the future perfect.

Examples: sapientia donata est - wisdom is having been granted = wisdom has been granted
        leges lectae erant - laws were having been read = laws had been read
        reges victi erunt - kings will be having been conquered = kings will have been
                                    conquered

Chapter Eighteen
Fourth Declension

(I) The fourth declension in Latin has the following suffixes:

	sg.	pl.
Nom.	us	us
Gen.	us	uum
Dat.	ui	ibus
Acc.	um	us
Abl.	u	ibus

(II) Fourth declension nouns are typically masculine. Neuter words in the fourth declension have slightly altered forms. Consider the following paradigms:

	(Spiritus) (m)		(Cornu) (n)	
	sg.	pl.	sg.	pl.
Nom.	spiritus	spiritus	cornu	cornua
Gen.	spiritus	spirituum	cornus	cornuum
Dat.	spiritui	spiritibus	cornu	cornibus
Acc.	spiritum	spiritus	cornu	cornua
Abl.	spiritu	spiritibus	cornu	cornibus

Examples: spiritui - to the spirit   cornua - horns (acc. *or* nom.)

(III) In addition, there is a very important word, *domus - home*, which is confused whether it is second declension or fourth declension.

	sg.	pl.
Nom.	domus	domus
Gen.	domus *or* domi	domuum *or* domorum
Dat.	domui *or* domo	domibus
Acc.	domum	domus
Abl.	domu *or* domo	domibus

Note: Also, *domi - at home.*

(IV) In the vocabulary, a fourth declension word is noted with a "(4)" beside it.

Demonstratives

(I) The Latin word *hic, haec, hoc - this* has an irregular declension:

Hic, Haec, Hoc (this)

Singular	**M**	**F**	**N**
Nom.	hic	haec	hoc
Gen.	hujus	hujus	hujus
Dat.	huic	huic	huic
Acc.	hunc	hanc	hoc
Abl.	hoc	hac	hoc

Plural	**M**	**F**	**N**
Nom.	hi	hae	haec
Gen.	horum	harum	horum
Dat.	his	his	his
Acc.	hos	has	haec
Abl.	his	his	his

(II) The Latin word *ille, illa, illud - that* also has an irregular declension:

Ille, Illa, Illud (that)

Singular	**M**	**F**	**N**
Nom.	ille	illa	illud
Gen.	illius	illius	illius
Dat.	illi	illi	illi
Acc.	illum	illam	illud
Abl.	illo	illa	illo

Plural	**M**	**F**	**N**
Nom.	illi	illae	illa
Gen.	illorum	illarum	illorum
Dat.	illis	illis	illis
Acc.	illos	illas	illa
Abl.	illis	illis	illis

(III) Some other common adjectives decline like *ille*. These include *iste, ipse, solus, alius, unus, nullus, ullus, alter,* and *totus.*

Examples: totius - of the entire
uni - to one
ullorum - of any (pl.)

(IV) Many of these special adjectives can be used as pronouns.

Examples: ille dixit - he said (*literally:* that one said)
ipse dicit - he says (*literally:* the same one says)

Chapter Twenty
Fifth Declension

(I) The final Latin declension is the fifth declension. Fifth declension words are typically feminine, with the notable exception of *dies*, which is masculine.

	sg.	pl.
Nom.	es	es
Gen.	ei	erum
Dat.	ei	ebus
Acc.	em	es
Abl.	e	ebus

Example: (Res)

	sg.	pl.
Nom.	res	res
Gen.	rei	rerum
Dat.	rei	rebus
Acc.	rem	res
Abl.	re	rebus

Examples: dies - day (subject) *or* days (subject *or* direct object)
faciebus - to faces *or* with faces
fidei - of faith *or* to faith

(II) To express place, Latin uses the following cases:
1. place where - genitive
2. place to where - accusative
3. place from where - ablative

Examples: Britanniam - to Britain
Britannia - from Britain
Britanniae - at Britain

(III) To express time, Latin uses the following cases:
1. time when - ablative
2. time for how long - accusative *or* ablative

Examples: eodem die - on the same day
totum diem - for the entire day

Infinitives, Comparatives, and Superlatives

(I) The second principal part of verbs is the present infinitive. However there are five other infinitival forms in Latin. Here are some examples:

Teneo

	Present	Perfect	Future
Act.	tenere	tenuisse	tenturum esse
Pass.	teneri	tentum esse	tentum iri

Amo

	Present	Perfect	Future
Act.	amare	amavisse	amaturum esse
Pass.	amari	amatum esse	amatum iri

Ago

	Present	Perfect	Future
Act.	agere	egisse	acturum esse
Pass.	agi	actum esse	actum iri

The perfect passive and future active infinitives employ the perfect passive or future active participles and the infinitive of the verb *sum*. The perfect active infinitive takes the ending *-isse* on the perfect stem (third principal part).

Examples: dixisse - to have spoken   amatum iri - to be about to be loved
              benedictum esse - to have been blessed   dicturum esse - to be about to speak

(II) Adjectives can be declined by degree in Latin, as in English. The comparative ending is *-ior* (m/f), *-ius* (n) (stem *-ior-*), declined as a third declension **noun**. The superlative ending is *-issimus,* declined as a first/second declension adjective.

regular: brave - **fortis**   dear - **cara**
comparative: braver - **fortior**   dearer - **carior**
superlative: bravest - **fortissimus**   dearest - **carissima**

Examples: manuum fortiorum - of stronger hands
              mulieres dulcissimae - the most sweet women
              dona cariora - rather dear gifts
              donum carissimum - the very dear gift
              turris altissima - the tallest tower

(III) Some adjectives that end in *-ilis* and *-er* have slightly irregular superlatives. Consider the regular, comparative, and superlative forms of *facilis - easy, doable* and *pulcher - beautiful:*

facilis, facilior, facillimus   *pulcher, pulchrior, pulcherrimus*

(IV) The following adjectives, in their regular, comparative, and superlative degrees, are completely irregular:

bonus, melior, optimus - good
magnus, major, maximus - great
malus, pejor, pessimus - bad
multus, plus, plurimus - much
parvus, minor, minimus - small
superus, superior, summus/supremus - upper

Note: The genitive singular for *plus* is *pluris.*

(V) The comparative "than" can be expressed in two ways in Latin. One is with *quam*. The other is with the ablative case.

Examples: Deus major quam homo - God is greater than man
             Deus homine major - God is greater than man.

(VI) Diminutives in Latin are formed by infixing an *l.*

Example: servulus - a little slave

Present Subjunctive

(I) There are two moods in Latin, the indicative (regular) and the subjunctive. The subjunctive in Latin is used to reflect anything which is uncertain to happen or to have happened. It can be translated "might do" (present) or "might have done" (perfect), although sometimes in English it sounds best simply to leave out the "might." There is no future or future perfect subjunctive.

(II) The forms of the present subjunctive generally vary the theme vowel from the present indicative. It is typically translated "may __."

(Laudo)		(Luceo)		(Duco)		(Venio)	
laudem	laudemus	luceam	luceamus	ducam	ducamus	veniam	veniamus
laudes	laudetis	luceas	luceatis	ducas	ducatis	venias	veniatis
laudet	laudent	luceat	luceant	ducat	ducant	veniat	veniant

Example: sumas - you may receive

(III) The present subjunctive passive simply replaces the active personal endings with passive ones, just as with the indicative.

Example: lauder - I may be praised

(IV) One common use of the subjunctive is the jussive.

Example: cogitem - let me think *or* I should think

(V) The subjunctive can also indicate a wish. These sentences often beginning with *ut* or *utinam,* but need not.

Example: ut cantare possim! - oh that I might be able to sing!

(VI) The verbs *sum* and *possum* are of course irregular:

(Sum)		(Possum)	
sim	simus	possim	possimus
sis	sitis	possis	possitis
sit	sint	possit	possint

Examples: sim - I may be   possis - you may be able

Uses of the Subjunctive

(I) The subjunctive in Latin is used in a variety of ways, and as a result the translation of a subjunctive verb into English must always depend somewhat on the context. Subjunctive always indicates uncertainty, but this is often best left unexpressed in English. The following list covers some major uses of the subjunctive mood in Latin.

(II) Purpose clauses in Latin employ *ut - so that* or *ne - lest* followed by the subjunctive.

Examples: voco ut adjuvet - I call so that he might help
      curro ne inveniar - I run lest I be found

(III) Fear clauses in Latin also use *ut/ne* followed by the subjunctive, however the meaning of *ut/ne* is reversed.

Examples: timeo ne id credant - I fear that they may believe it
      timeo ut id credant - I fear that they won't believe it

(IV) Result clauses in Latin also use *ut* (but do not use *ne*), followed by the subjunctive.

Examples: tanta facit ut laudetur - he does such great things that he is praised
      mala facit ut non laudetur - he does bad things, so he is not praised

(V) Indirect commands employ the subjunctive with *ut* and *ne*:

Examples: rogo ut gaudeas - I ask that you rejoice
      rogo ne gaudeas - I ask that you not rejoice

(VI) Indirect questions use the subjunctive:

Example: rogo quid facias - I ask what you might be doing

Imperfect and Perfect System Subjunctive

(I) The imperfect subjunctive is formed by adding the personal endings to the present infinitive.

Examples: laudarem - I would be praising
disceres - you would be learning
caneretur - it would be being sung

(II) The perfect and pluperfect subjunctive suffixes are attached to the perfect stem (third principal part):

The Perfect Subjunctive			The Pluperfect Subjunctive	
erim	erimus		issem	issemus
eris	eritis		isses	issetis
erit	erint		isset	issent

Examples: dilexerimus - we may have loved
latuissent - they had hidden (maybe)

(III) The perfect and pluperfect passive subjunctive are formed like the indicative, only with the subjunctive form of *sum*.

Example: vinctum sit - it may have been bound

(IV) Sometimes it is unclear which subjunctive tense to use in a subordinate clause. Here is the following rule of thumb:

Main Verb	Subordinate Verb
Present or Future	Present or Perfect
Past	Imperfect or Pluperfect

(V) As always, the translation of the subjunctive of whatever tense depends largely on context.

Cum Clauses

(I) Besides functioning as a preposition meaning "with" (+abl.), *cum* can also introduce subordinate clauses. Most commonly it should be translated "when," although sometimes it should be translated "while," "since," "after," or "although."

Examples: cum fecisset, fugit - when he had done it, he fled

          cum vincimus, speras - while we are winning, you are hoping

          cum sciret, adjuvare potuit - since he knew, he was able to help

          cum hoc sciret, tamen sacerdotes misit - although he knew this, he still sent priests

(II) There is also a common irregular noun: *vis, vis - strength (f).*

	sg.	pl.
N	vis	vires
G	vis	virium
D	vi	viribus
Ac	vim	vires
Ab	vi	viribus

Example: vi - to strength *or* with strength

Irregular Verbs

(I) There are several important irregular verbs other than *sum* and *possum*. These include *fero, volo,* and *nolo.*

(II) The verb *fero, ferre, tuli, latus - to carry* is irregular in the present indicative:

(Active)			(Passive)	
Fero	Ferimus		Feror	Ferimur
Fers	Fertis		Ferris	Ferimini
Fert	Ferunt		Fertur	Feruntur

It is a third conjugation verb otherwise. The imperatives are *fer* and *ferte.*

Example: fert - she carries

(III) The verb *volo, velle, volui - to want, wish* is irregular in the present indicative and subjunctive:

(Indicative)			(Subjunctive)	
Volo	Volumus		Velim	Velimus
Vis	Vultis		Velis	Velitis
Vult	Volunt		Velit	Velint

It is a third conjugation verb otherwise.

Example: volunt - they want

(IV) The verb *nolo, nolle, nolui - to not want* is irregular in the present indicative and subjunctive:

(Indicative)			(Subjunctive)	
Nolo	Nolumus		Nolim	Nolimus
Non vis	Non vultis		Nolis	Nolitis
Non vult	Nolunt		Nolit	Nolint

It is a third conjugation verb otherwise.

Example: nolim - I may not want

(V) Negative imperatives in Latin are formed with the imperative of *nolo* followed by an infinitive.

Examples: noli timere - do not fear! (to one person)
nolite timere - do not fear! (to multiple people)
noli ferre - do not carry! (to one person)

Adverbs

(I) Some adverbs in Latin must simply be memorized as vocabulary items. Many, however, can be regularly formed off of adjectives. First/second declension adjectives take the ending *-e,* while third declension adjectives take the ending *-ter.*

Examples: pulchre - beautifully
sane - healthily
fortiter - strongly
sapienter - wisely

(II) Adverbs, like adjectives, have comparative and superlative degrees. The comparative suffix is *-ius* and the superlative takes the ending *-e* on the adjectival superlative.

Examples: pulchrius - more beautifully
pulcherrime - most beautifully
sapientius - more wisely
sapientissime - most wisely

(III) Some adverbs, in their regular, comparative, and superlative degrees, are completely irregular:

bene, melius, optime - well
male, pejus, pessime - badly
multum, plus, plurimum - a lot
magnopere, magis, maxime - greatly
parum, minus, minime - a little
diu, diutius, diutissime - for a long time

Conditions

(I) There are six basic types of conditions in Latin, all of which begin with the word *si - if.* They can be identified by the tenses used in them.

1. Present Indicative

   Example: si facit, prudens est - if she does it, she is prudent.

2. Perfect Indicative

   Example: si fecit, prudens fuit - if she did it, she was prudent.

3. Future Indicative

   Example: si faciet, prudens erit - if she will do it, she will be prudent.

4. Present Subjunctive

   Example: si faciat, prudens sit - if she should do it, she would be prudent.

5. Imperfect Subjunctive

   Example: si faceret, prudens esset - if she were doing it, she would be prudent.

6. Pluperfect Subjunctive

   Example: si fecisset, prudens fuisset - if she had done it, she would have been prudent.

(II) To complicate matters further, Latin can mix the types. Just be aware of the meanings of the Latin tenses and moods when figuring out the translation.

Example: si fecit, prudens est - if she did it, she is prudent

Numbers

(I) The number "one" in Latin, *unus*, declines like *ille* (ch.19).

(II) The declensions of numbers two, *duo*, and three, *tres,* are irregular:

	(Duo)				(Tres)		
	M	F	N		M	F	N
Nom.	duo	duae	duo		tres	tres	tria
Gen.	duorum	duarum	duorum		trium	trium	trium
Dat.	duobus	duabus	duobus		tribus	tribus	tribus
Acc.	duos	duas	duo		tres	tres	tria
Abl.	duobus	duabus	duobus		tribus	tribus	tribus

(III) Numbers four through ten are invariable:

quattuor/quatuor - four
quinque - five
sex - six
septem - seven
octo - eight
novem - nine
decem - ten

(IV) Many cardinal numbers greater than ten are formed by combining forms drawn from *unus* through *decem.*

Examples: undecim - eleven
tredecim - thirteen
undeviginti - nineteen
viginiti - twenty
viginti tres - twenty-three
triginta - thirty
centum - hundred

(V) Thousand, *mille*, declines like a third neuter adjective in the plural (regardless of gender) with one of the double *l*'s optionally dropping off. The singular is invariably *mille*.

	sg.	pl.
Nom.	mille	milia
Gen.	mille	milium
Dat.	mille	milibus
Acc.	mille	milia
Abl.	mille	milibus

(VI) Roman numerals are formed by addition (or subtraction for a number that is one less than a multiple of five).

I - one
V - five
X - ten
L - fifty
C - hundred
D - five hundred
M - thousand

Examples: VI - six
     XIV - fourteen
     XLVII - forty-seven

(VII) Ordinal numbers in Latin are declined as normal first/second declension adjectives.

primus - first
secundus - second
tertius - third
quartus - fourth
quintus - fifth
sextus - sixth
septimus - seventh
octavus - eighth
nonus - ninth
decimus - tenth

Example: filii octavi - of the eighth son

(VIII) The Vulgate Bible frequently employs irregular numerical forms. These variants are easily spotted and should pose no difficulty in translating.

<u>Chapter Thirty</u>
Deponent Verbs

(I) Many verbs in Latin are translated as active verbs even though they take passive forms. These are called deponent verbs.

Examples: loquor - I speak
       locuti sumus - we have spoken
       patitur - he suffers
       veneratae erimus - we will have venerated

Note: Some verbs are only deponent in the perfect system:

Examples: gaudeo - I rejoice
       gavisus sum - I have rejoiced
       audebis - you will dare
       ausa eris - you will have dared

Chapter Thirty-one
Eo

(I) An important irregular verb in Latin is *eo, ire, ii/ivi, itus - to go.* It is irregular in the present, imperfect, future indicative, and present subjunctive. Some of its other forms are also irregular.

Present		Imperfect		Future	
eo	imus	ibam	ibamus	ibo	ibimus
is	itis	ibas	ibatis	ibis	ibitis
it	eunt	ibat	ibant	ibit	ibunt

Present Subjunctive		Imperatives	Gerund	Supine
eam	eamus	i	eundi	itum
eas	eatis	ite		
eat	eant			

Participles
iens, euntis *(present)*
iturus *(future active)*

Infinitives
ire *(present)*
isse *(perfect)*
iturus esse *(future)*

Examples: eunt - they go   eatis - y'all may go
iturus esse - to be about to go   i - go! (to one person)
ii - I have gone   iero - I will have gone

Chapter Thirty-two
Supines and Gerunds

(I) Supines in Latin are verbal nouns formed from the fourth principal part and declined like a fourth declension noun. However, they only appear in the accusative and ablative singular. In the accusative, a supine indicates purpose; in the ablative a supine indicates reference.

Examples: rogatum gratias veniunt - they come to ask for graces
        victum veni - I have come to conquer
        magnum factu - it is great to do

Note: Be careful not to mistake a legitimate fourth declension noun for a supine.

(II) The gerund in Latin is a verbal noun that corresponds to English "__ing" when it is used as a **noun**.

English example: I love running.

Note: "There is running water here" is *not* a gerund but a participle.

(III) The gerund can never appear in the plural or nominative. Its forms are similar to the future passive participle.

	(Lego)
Gen.	legendi
Dat.	legendo
Acc.	legendum
Abl.	legendo

Examples: magnum amorem legendi habet - she has a great love of reading
        orandum praedico - I preach praying

Future Imperatives

(I) The future imperative in Latin carries a more formal tone to a command than a simple imperative. In particular, it emphasizes the future obedience to the command. Its suffixes are *-to,* and *-tote*:

(Porto)		(Placeo)		(Jungo)		(Audio)	
sg	pl	sg	pl	sg	pl	sg	pl
Portato	Portatote	Placeto	Placetote	Jungito	Jungitote	Audito	Auditote

Examples: orato - pray!   oratote - pray! (to multiple people)

tremito - tremble!   tremitote - tremble! (to multiple people)

(II) The future imperatives of *sum* are *esto, estote*.

Example: esto - be!

Sententiae

1. Aurora Musis amica. (Erasmus)

   Musa - Muse (goddess of inspiration)
2. Fortuna est caeca. (Cicero)

3. Fama volat. (Virgil)

4. Fata obstant. (Virgil)

   Fata - the Fates (nom.pl.)
5. Ave Maria gratia plena (episcopal motto)

6. State (episcopal motto)

7. Video et taceo (motto of Elizabeth I of England)

8. Sapientia et doctrina (motto of Fordham University)

9. Pro gloria et patria (motto of Prussia)

10. Dum spiro spero (motto of South Carolina)

11. Ad Jesum per Mariam (Catholic phrase)

12. Nihil obstat (printed on Catholic books)

13. Habemus papam (said at the announcement of a new pope)

14. Nihil nimis (Latin proverb)

Chapter Three

1. Dominus protector vitae meae. (Ps.26:1)

2. Quis sicut Dominus Deus noster? (Ps.112:5)

    quis - who
3. Dominus dat sapientiam. (Prv.2:6)

4. Sicut lilium inter spinas, sic amica mea inter filias. (SS.2:2)

    lilium - lily (nom.)
    spina - thorn
5. Deo gratias (at Mass)

6. Gloria tibi Domine (at Mass)

    tibi - to you
7. Non Angli, sed angeli! (Gregory the Great)

    Anglus - Englishman
8. Servus servorum Dei (Gregory the Great, title of Pope)

9. Historia… vitae magistra. (Cicero)

10. Ora et labora (Benedictine motto)

11. Ad Gloriam Dei (episcopal motto)

12. Amo te Domine (episcopal motto)

13. Christus vita nostra (episcopal motto)

14. Deus et patria (episcopal motto)

15. Domini nostri Jesu Christi (episcopal motto)

16. Dominus est (episcopal motto)

17. In Deo spero (episcopal motto)

18. Magnus Deus noster (episcopal motto)

19. Propter te Domine (episcopal motto)

20. Regnat Christus Dominus (episcopal motto)

21. Regnat Deus (episcopal motto)

22. State in Domino (episcopal motto)

23. Sub umbra Carmeli (episcopal motto)

24. Sub umbra Petri (episcopal motto)

25. Vigilate et orate (episcopal motto)

26. Regnat populus (motto of Arkansas)

27. In Deo speramus (motto of Brown University)

28. Gloriosus et liber (motto of Manitoba)

29. Nihil sine Deo (motto of Romania)

30. Semper liber (motto of Victoria, BC)

31. Sic semper tyrannis (motto of Virginia)

   *tyrannus - tyrant
32. Ora pro nobis (Catholic phrase)

33. Exempli gratia (commonly abbreviated as *e.g.*)

34. In te speramus, ad te clamamus: ora, ora pro nobis. (*O Sanctissima*)

Chapter Four

1. Laudate Dominum de caelis, laudate eum in excelsis. (Ps.148:1)

2. Deus enim in caelo, et tu super terram. (Ecc.5:1)

   *tu - you
3. Dignum et justum est. (at Mass)

4. Sanctus, Sanctus, Sanctus Dominus Deus Sabaoth. Pleni sunt caeli et terra gloria tua.
   Hosanna in excelsis. (at Mass)

   *Sabaoth - of hosts (Hebrew word)
   sunt - are

5. Agnus Dei, qui tollis peccata mundi, miserere nobis. Agnus Dei, qui tollis peccata mundi, miserere nobis. Agnus Dei, qui tollis peccata mundi, dona nobis pacem. (at Mass)

qui tollis - you who take away
pacem - peace (acc.sg.)

6. Valde magnum est in obedientia stare. (a Kempis)

7. Est deus in nobis. (Ovid)

8. Auxilium meum a Domino (episcopal motto)

9. Dominus Deus magnus est (episcopal motto)

10. Evangelii servus (episcopal motto)

11. Evangelium Dei evangelizare (episcopal motto)

12. In auxilium meum festina Domine (episcopal motto)

13. Per arma Christi (episcopal motto)

14. Pro regno Dei (episcopal motto)

15. Propter Jesum et evangelium (episcopal motto)

16. Propter regnum Dei (episcopal motto)

17. Regnum tuum Domine (episcopal motto)

18. Festina lente (motto of Augustus)

   *lente - slowly
19. Domina nostra, auxilium Christianorum (title of Mary)

20. Evangelium vitae (encyclical of John Paul the Great)

21. Ave Maria, gratia plena, Dominus tecum. Benedicta tu in mulieribus, et benedictus
    fructus ventris tui Jesus. Sancta Maria, Mater Dei, ora pro nobis peccatoribus, nunc et
    in hora mortis nostrae. Amen. (Catholic Prayer)

   *tecum - with you
   tu in mulieribus - you among women
   fructus ventris tui - fruit of your womb
   Mater - mother (nom.sg.)
   peccatoribus - sinners (abl.pl.)
   mortis - death (gen.sg.)

Chapter Five

1. In Deo laudabo verbum, in Domino laudabo... (Ps.55:10)

2. Misericordias Domini in aeternum cantabo. (Ps.88:1)

3. Beatus vir qui timet Dominum: in mandatis ejus volet nimis. (Ps.111:1)

    *qui - who
    ejus - his
    voleo, volere - to delight

4. Laudate Dominum, quia bonus Dominus. (Ps.134:3)

5. Deus, canticum novum cantabo tibi. (Ps.143:9)

    *canticum - song, canticle
    tibi - to you

6. Lauda, anima mea, Dominum. Laudabo Dominum in vita mea. (Ps.145:2)

7. Regnabit Dominus in saecula. (Ps.145:10)

8. Videbitis, et gaudebit cor vestrum. (Isa.66:14)

    *cor - heart (nom.sg.n.)

9.   … in Domino gaudebo, et exsultabo in Deo Jesu meo. (Hab.3:18)

10. Dominus Deus tuus… gaudebit super te… exsultabit super te. (Zeph.3:17)

11. Gratias tibi, bone Jesu, pastor aeterne. (a Kempis)

*tibi - to you

12. Multa verba non satiant animam, sed bona vita refrigerat mentem, et pura conscientia magnam ad Deum praestat confidentiam. (a Kempis)

*satio, satiare, satiavi, satiatus - to satisfy
mentem - mind (acc.sg.)

13. Periculum in mora. (Livy)

14. Arma non servant modum. (Seneca)

15. Modum tenere debemus. (Seneca)

16. Novum Testamentum (Catholic phrase)

Chapter Six

1.   Honora patrem tuum et matrem. (Dt.5:16)

2. Initium sapientiae timor Domini. (Ps.110:10, Sir.1:16)

3. Laudate, pueri, Dominum, laudate nomen Domini. (Ps.112:1)

4. Veritas Domini manet in aeternum. (Ps.116:2)

5. Magnus Dominus noster, et magna virtus ejus, et sapientiae ejus non est numerus. (Ps.146:5)

   *ejus - his
   numerus - number
6. Nihil sub sole novum. (Ecc.1:10)

7. Timor Domini gloria. (Sir.1:11)

8. Sapientia enim et disciplina timor Domini. (Sir.1:34)

9. Qui timet Dominum honorat parentes. (Sir.3:8)

   *qui - he who
10. In opere et sermone... honora patrem tuum. (Sir.3:9)

11. Ecce homo! (Jn.19:5)

12. Deus caritas est. (1Jn.4:8)

13. Timor non est in caritate. (1Jn.4:18)

14. Laus tibi Christe (at Mass)

   *tibi - to you

15. Sursum corda. Habemus ad Dominum. (at Mass)

   *sursum - upwards

16. Laus tibi, Domine, Rex aeternae gloriae (said in the Divine Office during Lent in place of the Alleluia)

   *tibi - to you

17. Ecce lignum crucis. (Good Friday Antiphon)

18. Christus Rex (Liturgical feast)

19. Sacramentum caritatis (Aquinas about the Mass)

20. De Civitate Dei (title of Augustine's masterpiece)

21. In voluntate ejus pax nostra. (Dante)

   *ejus - his

22. In regione caecorum rex est luscus. (Erasmus)

   *luscus - one-eyed

23. Gratias tibi, bone Jesu, lux lucis aeternae. (a Kempis)

*tibi - to you

24. Leges habent perquam paucas. (Thomas More describing Utopia)

*perquam - extremely

25. O tempora! O mores! (Cicero)

26. Silent enim leges inter arma. (Cicero)

27. Leges sine moribus vanae. (Horace)

28. Stat magni nominis umbra. (Lucan about Pompey)

29. Non est princeps super leges, sed leges supra principem. (Pliny)

30. A Cruce victoria (episcopal motto)

31. Ad Deum pro hominibus (episcopal motto)

32. Ad gloriam Dei et pacem in terris (episcopal motto)

33. Ad lucem per Crucem (episcopal motto)

34. Amor Crucis armis lucis (episcopal motto)

35. Amore amoris tui (episcopal motto)

36. Amore non timore (episcopal motto)

37. Caritas in veritate (episcopal motto)

38. Caritate veritatis (episcopal motto)

39. Christus pax nostra (episcopal motto)

40. Gloria Deo pax hominibus (episcopal motto)

41. Sub lumine Matris (episcopal motto)

42. Sub Mariae nomine (episcopal motto)

43. Non nobis, Domine, non nobis, sed nomine tuo da gloriam. (Ps.113:9, motto of the Knights Templar)

44. Virtute et armis (motto of Mississippi)

45. In Christi lumine pro mundi vita (motto of the Pontifical Catholic University of Chile)

46. Via Crucis (Catholic devotion)

47. Opus Dei (Religious Organization)

48. Cor Jesu… inflamma cor nostrum amore tui. (Sacred Heart Novena)

   *tui - of you
49. …angelum pacis: Michael (*Christe Sanctorum*)

50. Laus, honor, virtus, gloria, Deo Patri et Filio, Sancto simul Paraclito, in saeculorum saecula. (Ambrose, *Jesu Corona Virginum*)

Chapter Seven

1. Dominus excelsus, terribilis, rex magnus super omnem terram. (Ps.46:3)

2. Rex omnis terrae Deus. (Ps.46:8)

3. Magnus Dominus et laudabilis nimis, in civitate Dei nostri, in monte sancto ejus. (Ps.47:2)

   *ejus - his

4. Misericordias Domini in aeternum cantabo: in generationem et generationem, annuntiabo veritatem tuam in ore meo. (Ps.88:1)

5. Excelsus super omnes gentes Dominus, et super caelos gloria ejus. (Ps.112:4)

   *ejus - his

6. Laudate omnes gentes, laudate Dominum. (Ps.117:1)

7. Beati omnes qui timent Dominum, qui ambulant in viis ejus. (Ps.127:1)

   *qui - who
   ejus - his

8. Omnia flumina intrant in mare. (Ecc.1:7)

9. Radix sapientiae est timere Dominum. (Sir.1:25)

10. Et ambulabunt gentes in lumine tuo, et reges in splendore ortus tui. (Isa.60:3)

    *ortus - rising (gen.sg.m.)

11. Beati pauperes, quia vestrum est regnum Dei. (Lk.6:20)

12. Sanctifica eos in veritate. Sermo tuus veritas est. (Jn.17:17)

   *eos - them

13. Dominus autem Spiritus est: ubi autem Spiritus Domini, ibi libertas. (2Cor.3:17)

14. Ubi caritas et amor, Deus ibi est. (Holy Thursday Antiphon)

15. Causa finalis est causa causarum. (Aquinas)

16. Finis legis non est lex. (Aquinas)

17. Ubi amor, ibi oculus. (Aquinas)

18. Ultima hominis felicitas est in contemplatione veritatis. (Aquinas)

19. Caritas radix est omnium operum bonorum. (Augustine)

20. In necessitatibus, unitas; in diversis, libertas; sed in omnibus, caritas. (Augustine)

21. Magnus es, Domine, et laudabilis valde. (beginning of Augustine's *Confessions*)

22. Simul justus et peccator. (Augustine)

23. Historia vero testis temporum, lux veritatis, vita memoriae, magistra vitae, nuntia vetustatis. (Cicero)

   *nuntia vetustatis - messenger of old age

24. Mater omnium bonarum artium sapientia est. (Cicero)

25. Philosophia est ars vitae. (Cicero)

26. Ars longa, vita brevis. (Hippocrates)

27. Est natura hominum novitatis avida. (Pliny the Elder)

   *avidus - greedy, desirous

28. Omnis ars naturae imitatio est. (Seneca)

29. Rationale enim animal est homo. (Seneca)

30. Auribus teneo lupum. (Terence)

   *lupus - wolf

31. Fortes fortuna adjuvat. (Terence)

32. A Deo omnia (episcopal motto)

33. Amore et fortitudine (episcopal motto)

34. Christus omnia in omnibus (episcopal motto)

35. Fortitudo mea Deus (episcopal motto)

36. Testimonium de lumine (episcopal motto)

37. Testimonium veritati (episcopal motto)

38. A mari usque ad mare (motto of Canada)

39. Justitia omnibus (motto of D.C.)

40. Veritas, bonitas, pulchritudo, sanctitas (motto of Fu Jen Catholic University)

41. Scientia et sapientia (motto of Illinois Wesleyan University)

42. Ex amicitia pax (motto of international diplomacy)

43. Lumen Gentium (Vatican II document)

44. Felix qui nihil debet. (Latin Proverb)

*qui - who
45. Non omnis qui nobis arridet amicus est. (Latin Proverb)

*qui - who
46. Omne initium difficile. (Latin Proverb)

47. Sanctus Deus, Sanctus Fortis, Sanctus Immortalis, miserere nobis et totius mundi.
(Divine Mercy Chaplet)

*totius - whole (gen.sg.m.)
48. Christe sol justitiae (Ambrose, *Jam Christe Sol Justitiae*)

49. Jesu, decus angelicum, in aure dulce canticum, in ore mel mirificum, in corde nectar
caelicum. (Bernard, *Jesu Dulcis Memoria*)

*mirificus - marvelous
50. Angelus fortis: Gabriel (*Christe Sanctorum*)

51. Jesu clemens pie Deus, Jesu dulcis amor meus, Jesu bone, Jesu pie, Fili Dei et Mariae. (*De Amore Jesu*)

52. Jesu, nostra… jubilatio cordis, oris, et aurium. (*Jesu Nostra Refectio*)

53. Te splendor et virtus Patris, te vita, Jesu, cordium… laudamus inter Angelos. (Urban VIII, *Te Splendor et Virtus Patris*)

54. Confiteor Deo omnipotenti, beatae Mariae semper Virgini, beato Michaeli Archangelo, beato Joanni Baptistae, sanctis Apostolis Petro et Paulo, omnibus Sanctis, et tibi, pater, quia peccavi nimis cogitatione, verbo et opere, mea culpa, mea culpa, mea maxima culpa. Ideo precor beatam Mariam semper Virginem, beatum Michaelem Archangelum, beatum Joannem Baptistam, sanctos Apostolos Petrum et Paulum, omnes Sanctos, et te, pater, orare pro me ad Dominum Deum nostrum. (at Mass)

*confiteor - I confess
tibi - to you
peccavi - I have sinned
cogitatio, cogitationis - thought (f)
maximus - greatest
precor - I ask

Chapter Eight

1. Diliges Dominum Deum tuum ex toto corde tuo, et ex tota anima tua, et ex tota fortitudine tua. (Dt.6:5)

    *totus - all

2. Secundum nomen tuum, Deus, sic et laus tua in fines terrae; justitia plena est dextera tua. (Ps.47:11)

3. Domine, inclina caelos tuos, et descende. (Ps.143:5)

4. Dominus illuminat caecos… Dominus diligit justos. (Ps.145:8)

5. Laudate eum, omnes angeli ejus; laudate eum, omnes virtutes ejus. Laudate eum, sol et luna; laudate eum, omnes stellae et lumen. (Ps.148:2-3)

    *ejus - his

6. Benedicite, maria et flumina, Domino: laudate et superexaltate eum in saecula. (Dan.3:78)

7. Qui credit in Filium, habet vitam aeternam; qui autem incredulus est Filio, non videbit vitam, sed ira Dei manet super eum. (Jn.3:36)

    *qui - who

8. Christus vincit, Christus regnat, Christus imperat. (Christus Rex Antiphon)

impero, imperare, imperavi, imperatus - to reign as emperor

9. Obsculta, o fili, praecepta magistri, et inclina aurem cordis tui. (beginning of the *Rule of St. Benedict*)

obsculto, obscultare, obscultavi, obscultatus - to listen carefully to
praeceptum - command

10. Tua me sapientia dirige. (Clement XI)

11. Gemma caelestis pretiosa regis. (Peter Damian about St. Benedict)

12. Domine Jesu Christe, Fili Dei vivi, pone Passionem, Crucem, et Mortem tuam inter judicium tuum et animam meam, nunc et in hora mortis meae. (Gregory the Great)

13. Difficile est longum subito deponere amorem. (Catullus)

subito - suddenly

14. Video sed non credo. (Caspar Hofmann)

15. Vincite virtute vera. (Plautus)

16. Vivit et vivet per omnium saeculorum memoriam. (Velleius Paterculus)

17. Experto credite. (Virgil)

18. Omnia vincit amor. (Virgil)

19. Agnus vincet (episcopal motto)

20. Amore omnia vincit (episcopal motto)

21. Tua luce dirige (episcopal motto)

22. Vincit omnia veritas (motto of Augusta State University, GA)

23. Vincere est vivere (motto of Captain John Smith)

24. Veritas cum libertate (motto of Winthrop University)

25. Age quod agis. (Latin Proverb)

*quod - what

26. Exaltabo te, Deus meus rex, et benedicam nomini tuo in saeculum, et in saeculum saeculi. Per singulos dies benedicam tibi, et laudabo nomen tuum in saeculum, et in saeculum saeculi. Magnus Dominus, et laudabilis nimis, et magnitudinis ejus non est finis. Generatio et generatio laudabit opera tua, et potentiam tuam pronuntiabunt. (Ps.144:1-4)

dies - days (acc.pl.)
tibi - you (dat.sg.)
ejus - his

27. Benedicite, omnia opera Domini, Domino: laudate et superexaltate eum in saecula. Benedicite, angeli Domini, Domino: laudate et superexaltate eum in saecula. Benedicite, caeli, Domino: laudate et superexaltate eum in saecula. Benedicite, aquae omnes, quae super caelos sunt, Domino: laudate et superexaltate eum in saecula. Benedicite, omnes virtutes Domini, Domino: laudate et superexaltate eum in saecula. Benedicite, sol et luna, Domino: laudate et superexaltate eum in saecula. Benedicite, stellae caeli, Domino: laudate et superexaltate eum in saecula. (Dan.3:57-63)

quae - which
sunt - are

28. Benedicite, filii hominum, Domino: laudate et superexaltate eum in saecula...
Benedicite, sacerdotes Domini, Domino: laudate et superexaltate eum in saecula.
Benedicite, servi Domini, Domino: laudate et superexaltate eum in saecula. Benedicite,
spiritus et animae justorum, Domino: laudate et superexaltate eum in saecula.
Benedicite, sancti et humiles corde, Domino: laudate et superexaltate eum in saecula.
(Dan.3:82, 84-87)

*spiritus - spirits

29. Gloria in excelsis Deo et in terra pax hominibus bonae voluntatis. Laudamus te,
benedicimus te, adoramus te, glorificamus te, gratias agimus tibi propter magnam
gloriam tuam, Domine Deus, Rex caelestis, Deus Pater omnipotens. Domine Fili
unigenite, Jesu Christe, Domine Deus, Agnus Dei, Filius Patris, qui tollis peccata mundi,
miserere nobis; qui tollis peccata mundi, suscipe deprecationem nostram. Qui sedes ad
dexteram Patris, miserere nobis. Quoniam tu solus Sanctus, tu solus Dominus, tu solus
Altissimus, Jesu Christe, cum Sancto Spiritu: in gloria Dei Patris. Amen. (at Mass)

*tibi - to you
unigenitus - only-begotten
qui - who
suscipe - receive (imperative)
tu solus - you alone (nom.sg.m.)
Altissimus - Most High (nom.sg.m.)
Spiritu - Spirit (abl.sg.)

77

Chapter Nine

1. Custodi animam meam. (Ps.24:20)

2. Venite, et videte opera Dei. (Ps.65:5)

3. Inclina, Domine, aurem tuam et exaudi me. (Ps.85:1)

4. Consilium custodiet te, et prudentia servabit te. (Prv.2:11)

5. Beatus homo qui invenit sapientiam. (Prv.3:13)

   *qui - who
6. Audiet me Deus meus. (Mic.7:7)

7. Qui autem facit voluntatem Dei manet in aeternum. (1Jn.2:17)

   *qui - he who
8. Benedictus qui venit in nomine Domini. Hosanna in excelsis. (at Mass)

   *qui - who
9. Domine labia mea aperies; et os meum annunciabit laudem tuam. (at the Divine Office)

   *labium - lip

78

10. Boni angeli semper nos custodiunt. (Aquinas)

    *nos - us (acc.)
11. Ex nihilo nihil fit. (Aquinas)

    *nihilum - nothing
12. Gratia non tollit naturam sed perficit. (Aquinas)

13. Quocumque fugies, Deus te videbit. (Augustine)

    *quocumque - wheresoever
14. Ecce, vox sanguinis fratris nostri Jesu clamat ad te de cruce: exaudi, Domine! (Cajetan)

15. Veni et suscipe me. (a Kempis)

16. Arma virumque cano. (beginning of Virgil's *Aeneid*)

17. Aut viam inveniam aut faciam. (Hannibal)

18. Orbis non sufficit. (Juvenal)

19. Necessitas etiam timidos fortes facit. (Sallust)

20. Sed fugit interea, fugit irreparabile tempus. (Virgil)

irreparabile - irrecoverable (nom.sg.n.)

21. Aperiet coelum (episcopal motto)

22. Aperite portas Christo (episcopal motto)

23. Aperite portas Redemptori (episcopal motto)

24. Fac et vives (episcopal motto)

25. Sufficit gratia tua (episcopal motto)

26. Ave maris stella, Dei mater alma, atque semper virgo, felix caeli porta. (*Ave Maris Stella*)

27. Dormi, Jesu! Mater ridet quae tam dulcem somnum videt. (*Dormi Jesu*)

quae - who

28. Sancti Angeli, custodes nostri, defendite nos in proelio. (*Little Office of the Guardian Angel*)

nos - us (acc.)

80

29. Gaudet chorus caelestium et Angeli canunt Deum, palamque fit pastoribus Pastor, Creator omnium. (Sedulius, *A Solis Ortus*)

palam - openly

30. Ave Regina Caelorum. Ave Domina Angelorum. Salve radix, salve porta, ex qua mundo lux est orta. Gaude Virgo gloriosa, super omnes speciosa. Vale, o valde decora, et pro nobis Christum exora. (Lent Antiphon)

qua - whom, which
orta - arisen (nom.sg.f.)
speciosus - lovely

Chapter Ten

1. Veni in terram quam monstrabo tibi. Faciamque te in gentem magnam, et benedicam tibi, et magnificabo nomen tuum, erisque benedictus. (Gen.12:1-2)

quam - which
tibi - you (dat.)

2. Tolle filium tuum unigenitum, quem diligis, Isaac, et vade in terram visionis. (Gen.22:2)

unigenitum - only-begotten
quem - whom

3. Dirige me in veritate tua, et doce me. (Ps.24:5)

4. Beatus es, et bene tibi erit. (Ps.127:2)

tibi - to you

5. Pulchra es, amica mea; suavis, et decora sicut Jerusalem. (SS.6:3)

6. In principio erat Verbum, et Verbum erat apud Deum, et Deus erat Verbum. (Jn.1:1)

7. Lux sum mundi. (Jn.9:5)

8. Domine, non sum dignus. (at Mass)

9. Date ergo pauperibus. (Augustine)

10. Etsi homines falles Deum tamen non fallere poteris. (Augustine)

11. Nova sunt quae dicitis, mira sunt quae dicitis, falsa sunt quae dicitis. (Augustine)

    *quae - which
12. Spiritus sapientiae... dicit: Ecce, adsum. (Bernard)

13. Videre poteris Deum per te tanquam per imaginem. (Bonaventure)

14. Habere non potest Deum patrem qui Ecclesiam non habet matrem. (Cyprian)

    *qui - who
15. Cogito ergo sum. (Descartes)

16. Vivere est cogitare. (Cicero)

17. Non sum qualis eram. (Horace)

18. Pulvis et umbra sumus. (Horace)

pulvis, pulveris - dust (m)

19. Mens sana in corpore sano. (Juvenal)

20. Homines dum docent discunt. (Seneca)

21. Mens regnum bona possidet. (Seneca)

22. Qualis dominus, talis et servus. (Petronius)

23. Amicitia semper prodest. (Seneca)

24. Non omnia possumus omnes. (Virgil)

25. Adesse festinant tempora (episcopal motto)

26. Domini sumus (episcopal motto)

27. Deus adest et vocat te. (said to John Paul the Great when he was elected Pope but had yet to accept.)

28. Vade in pace! (Roman farewell)

29. Benedictus es, Domine Deus patrum nostrorum: et laudabilis, et gloriosus, et superexaltatus in saecula. Et benedictum nomen gloriae tuae sanctum: et laudabile, et superexaltatum in omnibus saeculis. Benedictus es in templo sancto gloriae tuae: et superlaudabilis, et supergloriosus in saecula. Benedictus es in throno regni tui: et superlaudabilis, et superexaltatus in saecula. Benedictus es qui intueris abyssos et sedes super cherubim: et laudabilis, et superexaltatus in saecula. Benedictus es in firmamento caeli: et laudabilis et gloriosus in saecula. (Dan.3:52-56)

*qui intueris - who look upon

Chapter Eleven

1. Apud te est fons vitae, et in lumine tuo videbimus lumen. (Ps.35:10)

2. In memoria aeterna erit justus... paratum cor ejus sperare in Domino. (Ps.111:7)

3. Sanctus, Sanctus, Sanctus Dominus Deus omnipotens, qui erat, et qui est, et qui venturus est. (Rev.4:8)

   *qui - who

4. Veni, Sanctificator omnipotens aeterne Deus, et benedic hoc sacrificium tuo sancto nomini praeparatum. (at Mass)

   *hoc - this (acc.sg.n.)

5. Deus, in adjutorium meum intende. (at the Divine Office)

   *adjutorium - help

6. Da mihi, Deus meus, cor meum ad te dirigere. (Aquinas)

   *mihi - to me (dat.)

7. In medio stat virtus. (Aquinas)

8. Intelligo me intelligere. (Augustine)

9. Mors est poena peccati. (Augustine)

10. Quantum in te crescit amor, tantum crescit pulchritudo; quia ipsa caritas est animae pulchritudo. (Augustine)

*ipsa - itself (describes caritas)

11. Dulce bellum inexpertis. (Erasmus)

*inexpertus - inexperienced

12. O Jerusalem aurea civitas, ornata Regis purpura! (Hildegard)

*aureus - golden

13. Dictum factumque facit frux. (Ennius)

*frux, frugis - fruit, result (f)

14. Nemo liber est qui corpori servit. (Seneca)

*qui - who

15. Discite justitiam moniti. (Virgil)

16. Nec mora, nec requies. (Virgil)

17. Faciam vos fieri piscatores hominum (episcopal motto)

*vos - you (acc.pl.)
piscis, piscis - fish (m)

18. Semper apertus (motto of the University of Heidelberg)

19. Factum fieri infectum non potest. (Latin Proverb)

*infectum = opposite of factum

20. Monstra te esse matrem. (*Ave Maris Stella*)

21. Virgo singularis, inter omnes mitis, nos culpis solutos, mites fac et castos. (*Ave Maris Stella*)

*mitis, mitis - meek
nos - us (acc.)

22. Sancte... venture Judex saeculi! (*Conditor Alme Siderum*)

23. Quantus tremor est futurus, quando Judex est venturus, cuncta stricte discussurus! (*Dies Irae*)

*stricte - strictly
discutio, discutere, discussi, discussus - to shatter

24. Mater amata... ora, ora pro nobis. (*O Sanctissima*)

25. Arbor decora et fulgida, ornata Regis purpura, electa digno stipite, tam sancta membra tangere. (Venantius Fortunatus, *Vexilla Regis*)

*fulgidus - shining
stipes, stipitis - tree trunk (m)
membrum - limb

26. Veni veni Emmanuel, captivum solve Israel, qui gemit in exilio, privatus Dei Filio. (*Veni Veni Emmanuel*)

*qui - who
privatus - deprived (+dat.)

27. Mors et vita duello… dux vitae mortuus, regnat vivus. (Wipo of Burgundy, *Victimae Paschali*)

*duellum - war

Chapter Twelve

1. Dominus Deus tuus ignis consumens est. (Dt.4:24)

2. Firmamentum est Dominus timentibus eum. (Ps.24:14)

*firmamentum - support

3. Credo videre bona Domini in terra viventium. (Ps.26:13)

4. Parabolae Salomonis, filii David, regis Israel, ad sciendam sapientiam et disciplinam: Timor Domini principium sapientiae. (Prv.1:1-2, 7)

5. Inclina cor tuum ad cognoscendam prudentiam. (Prv.2:2)

6. Gloriam sapientes possidebunt. (Prv.3:35)

7. Benedicite, lux et tenebrae, Domino: laudate et superexaltate eum in saecula. (Dan.3:72)

8. Non est Deus mortuorum, sed viventium. (Mt.22:32)

9. Domine, ad adjuvandum me, festina. (at the Divine Office)

10. O Oriens, splendor lucis aeternae, et sol justitiae: veni, et illumina sedentes in tenebris, et umbra mortis. (Advent Antiphon)

   *oriens - rising (sun)

11. O Emmanuel, rex et legifer noster, exspectatio gentium, et salvator earum: veni ad salvandum nos, Domine, Deus noster. (Advent Antiphon)

   *legifer - law-giver (m)
   earum - of them (refers to gentium)
   nos - us

12. Nec audiendi qui solent dicere, "vox populi vox Dei." (Alcuin)

   *qui - who

13. Amo te, Redemptor meus, amo te, Deus meus, ad nihil aspiro nisi ad amandum te ex toto corde meo. (Alphonsus Liguori)

*totus - all

14. Cantare amantis est. (Augustine)

15. Ecclesia semper reformanda est. (Augustine)

16. Tolle, lege. (said by the Holy Spirit to Augustine at his conversion)

17. Angeli Deo ministrantes Deum in humanitate vident. (Hildegard)

18. Spiritus Sanctus vivificans vita, movens omnia, et radix es in omni creatura; et sic es fulgens ac laudabilis vita, suscitans et resuscitans omnia. (Hildegard)

*suscito, suscitare, suscitavi, suscitatus - to awaken

19. Quanta nunc mihi et omni populo Christiano habenda est devotio et reverentia in praesentia Sacramenti! (a Kempis)

*mihi - me (dat.)

20. Omnia autem quae secundum naturam fiunt sunt habenda in bonis. (Cicero)

*quae - which
21. Nil desperandum. (Horace)

22. Ajunt enim multum legendum esse, non multa. (Pliny)

23. Sapiens vivit quantum debet, non quantum potest. (Seneca)

24. Audentes fortuna juvat. (Virgil)

25. Ad docendum Christi mysteria (episcopal motto)

26. Ad serviendum (episcopal motto)

27. Audiens et proclamans (episcopal motto)

28. Aurora consurgens (episcopal motto)

29. Auxiliante Deo (episcopal motto)

30. Gloria Dei homo vivens (episcopal motto)

31. Semper ardens (motto of Carl Jacobsen)

32. Deo juvante (motto of Monaco)

33. Semper ascendens (motto of Nuevo Leon)

34. Ignis ardens (Pius X according to St. Malachy)

35. Super omnes angelos pura, immaculata, atque ad regis dexteram stans! (*Little Office of the Immaculate Conception*)

36. Mater gratiae, dulcis spes reorum, fulgens stella maris! (*Little Office of the Immaculate Conception*)

spes - hope (nom.sg.f)
37. Jesu dulcis memoria, dans vera cordis gaudia: sed super mel et omnia ejus dulcis praesentia. (Bernard, *Jesu Dulcis Memoria*)

ejus - his
38. Jesu, dulcedo cordium, fons vivus, lumen mentium, excedens omne gaudium et omne desiderium. (Bernard, *Jesu Dulcis Memoria*)

39. Rex tremendae majestatis, qui salvandos salvas gratis, salva me, fons pietatis. (*Dies Irae*)

*qui - who

40. Ave, in triumphis Filii, in ignibus Paracliti, in regni honore et lumine, Regina fulgens gloria. (Augustine Thomas Ricchini, *Te Gestientem Gaudiis*)

Chapter Thirteen

1. Num custos fratris mei sum ego? (Gen.4:9)

*num - surely not

2. Sancti eritis, quia ego sanctus sum. (Lev.11:45)

3. Custodite mandata mea, et facite ea. Ego Dominus. (Lev.22:31)

4. Invocabuntque nomen meum super filios Israel, et ego benedicam eis. (Num.6:27)

5. Dominus virtutum nobiscum; susceptor noster Deus Jacob. (Ps.45:12)

6. Regnabit Deus super gentes; Deus sedet super sedem sanctam suam. (Ps.46:9)

7. Tu es sacerdos in aeternum secundum ordinem Melchisedech. (Ps.109:4)

8. Gloria filiorum patres eorum. (Prv.17:6)

9. Tu vero Deum time. (Ecc.5:6)

10. Nescit homo finem suum. (Ecc.9:12)

11. Ego dilecto meo, et dilectus meus mihi. (SS.6:2)

12. Rex Israel Dominus in medio tui. (Zeph.3:15)

13. Vos estis lux mundi. (Mt.5:14)

14. Non est discipulus super magistrum, nec servus super dominum suum. (Mt.10:24)

15. Quia non est propheta sine honore nisi in patria sua. (Mk.6:4)

16. Vos vero quem me esse dicitis? Respondens Petrus, ait ei: Tu es Christus. (Mk.8:29)

   *quem - whom

17. Ecce enim regnum Dei intra vos est. (Lk.17:21)

18. Amen, amen dico vobis: qui credit in me, habet vitam aeternam. Ego sum panis vitae. (Jn.6:47-48)

   *qui - who
19. Ego sum lux mundi. (Jn.8:12)

20. Veritas liberabit vos. (Jn.8:32)

21. Ego sum pastor bonus. (Jn.10:14)

22. Ego sum via, et veritas, et vita. Nemo venit ad Patrem, nisi per me. (Jn.14:6)

23. Qui diligit fratrem suum, in lumine manet. (1Jn.2:10)

   *qui - he who
24. Ego sum alpha et omega, principium et finis, dicit Dominus Deus: qui est, et qui erat, et qui venturus est, omnipotens. (Rev.1:8)

   *qui - who
25. Gratia Domini nostri Jesu Christi cum omnibus vobis. Amen. (Rev.22:21)

26. Dominus tecum. (at Mass)

27. Dominus vobiscum. (at Mass)

28. Per Dominum nostrum Jesum Christum, filium tuum, qui tecum vivit et regnat in unitate Spiritus Sancti Deus, per omnia saecula saeculorum. (at Mass)

*spiritus - spirit (gen.)
29. Ego te absolvo. (in Confession)

30. Ecce Dominus veniet, et omnes Sancti ejus cum eo: et erit in die illa lux magna. (Advent Antiphon)

*die illa - that day (abl.)
31. Deus meus, tu omnipotens es, effice me sanctum. (Alphonsus Liguori)

32. O Deus ego amo te! (Francis Xavier)

33. O tu illustrata de Divina claritate, clara Virgo Maria, Verbo Dei infusa! (Hildegard)

34. Pasce me, Domine, et pasce mecum. (John Damascene)

35. Ecce ego venio ad te, Domine. (a Kempis)

36. Et ecce tu praesens es hic apud me in altari, Deus meus, Sanctus Sanctorum, hominum Creator et Dominus Angelorum. (a Kempis)

*hic - here
37. Non tu pervenis ad Christum, sed Christus pervenit ad te. (Sedulius)

38. Nil igitur mors est ad nos. (Lucretius)

39. Sic ego nec sine te nec tecum vivere possum. (Ovid)

40. Sacer intra nos spiritus sedet, malorum bonorumque nostrorum observator et custos. (Seneca)

41. Non mihi Domine (episcopal motto)

42. Sufficit tibi gratia mea (episcopal motto)

43. Tecum et tibi Jesu (episcopal motto)

44. Semper eadem (motto of Elizabeth I of England)

45. Semper idem (motto of the Underberg company)

46. Tu autem Domine miserere nobis. (after readings in Catholic liturgies)

47. Id est (commonly abbreviated as *i.e.*)

48. Angele Dei, qui custos es mei, me tibi commissum pietate superna, illumina, custodi, rege, et guberna. (*Angele Dei*)

qui - who
guberno, gubernare, gubernavi, gubernatus - to govern
49. Jesu Christe crucifixe, miserere mei! (Franciscan Way of the Cross)

50. Tu Trinitatis gloria, in te Patris sunt gaudia, jungit tibi se Filius, in te quiescit Spiritus. (*Little Office of the Sacred Heart of Jesus*)

51. Bone pastor, panis vere, Jesu, nostri miserere. (Aquinas, *Ecce Panis Angelorum*)

52. Tu nos bona fac videre, in terra viventium. (Aquinas, *Ecce Panis Angelorum*)

53. Mane nobiscum, Domine, et nos illustra lumine. (Bernard, *Jesu Dulcis Memoria*)

54. Praesta Pater omnipotens, per Jesum Christum Dominum, qui tecum in perpetuum, regnat cum Sancto Spiritu. (*Te Lucis ante Terminum*)

55. Libera nos, salva nos, vivifica nos, O Beata Trinitas! (*Trisagium Angelicum*)

Chapter Fourteen

1. Ecce sic benedicetur homo qui timet Dominum. (Ps.127:4)

   *qui - who

2. Ecce virgo concipiet et pariet filium, et vocabitur nomen ejus Emmanuel. (Isa.7:14)

   concipio, concipere, concepi, conceptus - to conceive
   pario, parere, peperi, partus - to give birth to

3. Beati pacifici: quoniam filii Dei vocabuntur. (Mt.5:9)

4. Petite, et dabitur vobis: quaerite, et invenietis: pulsate, et aperietur vobis. Omnis enim qui petit, accipit: et qui quaerit, invenit: et pulsanti aperietur. (Mt.7:7-8)

   *qui - who

5. Cupio dissolvi et vivere cum Christo. (Phil.1:23)

6. O sacrum convivium, in quo Christus sumitur: recolitur memoria Passionis ejus: mens impletur gratia: et futurae gloriae nobis pignus datur. (Aquinas, *Corpus Christi Antiphon*)

*convivium - banquet
quo - which (abl.)
recolo, recolere, recolui, recultus - to recall
pignus, pignoris - pledge (n)

7. Bene curris, sed extra viam. (Augustine)

8. Ecce intus eras et ego foris, et ibi te quaerebam. (Augustine)

*intus - within

9. Non intratur in veritatem nisi in caritatem. (Augustine)

10. Salus extra Ecclesiam non est. (Augustine)

11. Ora pro nobis ad tuum Natum, stella maris, Maria. (Hildegard)

12. Quomodo potest demonstrari, quod videri non potest? (Hugo of St. Victor)

*quod - which

13. Nos numerus sumus et fruges consumere nati. (Horace)

*frux, frugis - fruit, produce (f)

14. Fas est et ab hoste doceri. (Ovid)

*fas - moral, okay

15. Certa amittimus dum incerta petimus. (Plautus)

16. Nemo autem regere potest nisi qui et regi. (Seneca)

*qui - he who

17. Possunt quia posse videntur. (Virgil)

18. Stat crux dum volvitur orbis. (Carthusian motto)

*volvo, volvere, volvi, volutus - to turn around

19. Alma Matre ducor (episcopal motto)

20. Amor non amatur (episcopal motto)

21. In Jerusalem consolabimini (episcopal motto)

22. Turris fortis mihi Deus. (motto of the Irish Kelly Clan)

23. Non ducor, duco (motto of Sao Paulo)

24. Ex peccato peccatum nascitur. (Latin Proverb)

25. Tempora mutantur, et nos mutamur in illis. (Latin Proverb)

*illis - them (abl.)

26. Veritas laborare potest, vinci non potest. (Latin Proverb)

27. Emitte Spiritum tuum et creabuntur, et renovabis faciem terrae. (Catholic Prayer)

*faciem - face (acc.)

28. Per signum Crucis de inimicis nostris libera nos, Deus noster. (Catholic Prayer)

29. Orbi salus tu perdito. (*Little Office of the Sacred Heart of Jesus*)

30. Angelum nobis medicum salutis mitte de caelis Raphael. (*Christe Sanctorum*)

*medicus - healing, medical

31. Ad astra Virgo tollitur. (*Jam Morte Victor Obruta*)

32. Gaude, gaude, Emmanuel nascetur pro te Israel. (*Veni Veni Emmanuel*)

102

Chapter Fifteen

1. Quid est homo, quia magnificas eum? (Job.7:17)

2. Quis est homo qui timet Dominum? (Ps.24:12)

3. Quis est homo qui vivet et non videbit mortem? (Ps.88:49)

4. Rogate quae ad pacem sunt Jerusalem: et abundantia diligentibus te. (Ps.121:6)

5. Quem enim diligit Dominus, corripit. (Prv.3:12)

   *corripio, corripere, corripui, correptus - to reprove, discipline
6. Quis non timebit te, O Rex gentium? (Jer.10:7)

7. Non omnis qui dicit mihi, Domine, Domine, intrabit in regnum caelorum: sed qui facit voluntatem Patris mei, qui in caelis est. (Mt.7:21)

8. Quid autem vocatis me Domine Domine et non facitis quae dico? (Lk.6:46)

9. Pater dimitte illis non enim sciunt quid faciunt. (Lk.23:24)

   *illis - them (dat.)

10. Deus caritas est: et qui manet in caritate, in Deo manet, et Deus in eo. (1Jn.4:16)

11. Quis est, qui vincit mundum, nisi qui credit quoniam Jesus est Filius Dei? (1Jn.5:5)

12. ...qui vivis et regnas per omnia saecula saeculorum. (Christian Doxology)

13. Israel es tu Rex, Davidis et inclyta proles: nomine qui in Domini, Rex benedicte, venis. (Palm Sunday Antiphon)

*inclyta proles - glorious offspring

14. O vere beata nox in qua terrenis caelestia, humanis divina junguntur! (Exsultet)

*terrenus - earthly

15. Homo ordinatur ad Deum sicut ad quendam finem qui comprehensionem rationis excedit. (Aquinas)

16. Quidquid fit, causam habet. (Aquinas)

17. Deus est qui omnem mundum regit. (Augustine)

18. Nescio quod nescio. (Augustine)

19. Qui bene cantat bis orat. (Augustine)

   *bis - twice
20. Sum quod sum. (Augustine)

21. Qui me amat, amat et canem meam. (Bernard)

22. Non est solitarius, cum quo est Deus. (Hugo of St. Victor)

23. Deus aeterne, cujus natura bonitas et opus misericordia est! (Innocent III)

24. Sed quis ego sum, Domine? (a Kempis)

25. Qui legis, intellige in Domino semper. (Macarius of Alexandria)

26. Dicite gentibus… quod Deus a cruce regnat. (Odo of Cluny)

27. Faber est suae quisque fortunae. (Appius Claudius Caecus)

   *faber - artisan
28. Caelum, non animum, mutant qui trans mare currunt. (Horace)

29. Cui malus est nemo, quis bonus esse potest? (Martial)

30. Malum est consilium quod mutari non potest. (Publilius Syrus)

31. Gratia autem Dei sum id quod sum (episcopal motto)

32. Quaecumque sunt vera (motto of Northwestern University)

33. Suum cuique (motto of the Order of the Black Eagle)

34. Quod oculus non videt, cor non desiderat. (Latin Proverb)

35. Benedic, Domine, nos et haec tua dona quae de tua largitate sumus sumpturi, per Christum Dominum nostrum. Amen. (Catholic Prayer before meals)

*haec - these (acc.pl.n.)
largitas, largitatis - abundance (f)
36. Agimus tibi gratias, omnipotens Deus, pro universis beneficiis tuis, qui vivis et regnas in saecula saeculorum. Amen. (Catholic Prayer after meals)

37. Ecce Panis angelorum, factus cibus viatorum, vere panis filiorum, non mittendus canibus. (Aquinas, *Ecce Panis Angelorum*)

38. Sumens illud Ave, Gabrielis ore, funda nos in pace, mutans Evae nomen. (*Ave Maris Stella*)

*illud - that

39. Qui diceris Paraclitus, donum Dei altissimi, fons vivus, ignis, caritas, et spiritalis unctio. (Rabanus Maurus, *Veni Creator Spiritus*)

*altissimus - highest
unctio, unctionis - anointing (f)

Chapter Sixteen

1. In principio creavit Deus caelum et terram. Terra autem erat inanis et vacua, et tenebrae erant super faciem abyssi: et spiritus Dei ferebatur super aquas. (Gen.1:1-2)

*inanis et vacua - empty and void
faciem - face (acc.)
ferebatur - was hovering

2. Vocavitque Deus firmamentum Caelum. (Gen.1:8)

3. Et creavit Deus hominem ad imaginem suam: ad imaginem Dei creavit illum, masculum et feminam creavit eos. (Gen.1:27)

*illum - him

4. Dixit quoque Dominus Deus: Non est bonum esse hominem solum. (Gen.2:18)

*solus - alone

5. Dixit Deus ad Moysen: Ego sum qui sum. Ait: Sic dices filiis Israel: Qui est, misit me ad vos. (Ex.3:14)

6. Ecce ostendit nobis Dominus Deus noster majestatem et magnitudinem suam. (Dt.5:24)

7. Exaudi, Domine, vocem meam, qua clamavi ad te; miserere mei, et exaudi me. (Ps.26:7)

8. Benedictus Dominus, quoniam exaudivit vocem deprecationis meae. (Ps.27:6)

9. Sicut audivimus, sic vidimus, in civitate Domini virtutum, in civitate Dei nostri. (Ps.47:9)

10. Venite, audite, et narrabo, omnes qui timetis Deum, quanta fecit animae meae. (Ps.65:16)

11. Dominus sapientia fundavit terram. (Prv.3:19)

12. Verba Ecclesiastae, filii David, regis Jerusalem: Vanitas vanitatum, dixit Ecclesiastes, vanitas vanitatum, et omnia vanitas. (Ecc.1:1-2)

13. Dedi cor meum in cunctis operibus quae fiunt sub sole. (Ecc.8:9)

14. Per noctes quaesivi quem diligit anima mea: quaesivi illum, et non inveni. (SS.3:1)

*illum - him

15. Quaesivi, et non inveni illum; vocavi, et non respondit mihi. (SS.5:6)

*illum - him

16. Non enim veni vocare justos sed peccatores. (Mt.9:13)

17. Deposuit potentes de sede et exaltavit humiles. (Lk.1:52)

18. Sicut dilexit me Pater, et ego dilexi vos. Manete in dilectione mea. (Jn.15:9)

19. Respondit Thomas, et dixit ei: Dominus meus et Deus meus. Dixit ei Jesus: Quia vidisti me, Thoma, credidisti: beati qui non viderunt, et crediderunt. (Jn.20:28-29)

20. Quod oculus non vidit, nec auris audivit, nec in cor hominis ascendit, quae praeparavit Deus iis qui diligunt illum. (1Cor.2:9)

*iis = eis
illum - him

21. Caritas ex Deo est. Et omnis qui diligit, ex Deo natus est, et cognoscit Deum. Qui non diligit, non novit Deum: quoniam Deus caritas est. (1Jn.4:7-8)

22. Adjutorium nostrum in nomine Domini. Qui fecit caelum et terram. (at Mass)

adjutorium - help

23. Et salutare tuum da nobis. (at Mass)

24. Alma Redemptoris Mater... tu quae genuisti, natura mirante, tuum sanctum Genitorem... peccatorum miserere. (Advent Antiphon)

25. Attende Domine, et miserere, quia peccavimus tibi. (Lent Antiphon)

26. Panem de caelo praestitisti eis, omne delectamentum in se habentem. (Benediction)

delectamentum - delight

27. Nisi credideritis, non intelligetis. (Augustine)

28. Sero te amavi, pulchritudo tam antiqua et tam nova. (Augustine)

sero - late

29. Hodie aperuit nobis clausa porta quod serpens in muliere suffocavit, unde lucet in aurora flos de Virgine Maria. (Hildegard)

30. Tu candidum lilium quod Deus ante omnem creaturam inspexit. (Hildegard)

candidus - pure white

31. Dator salutis, Christus filius Dei, mundum salvavit per crucem et sanguinem. (Sechnall)

32. Vere benedicta tu in mulieribus, quoniam Evae maledictionem in benedictionem commutasti. (Sophronius of Jerusalem)

33. O filii et filiae, Rex caelestis, Rex gloriae, morte surrexit hodie. (Tisserand)

34. Veni, vidi, vici. (Caesar)

35. Nil sine magno vita labore dedit mortalibus. (Horace)

36. Quos amor verus tenuit tenebit. (Seneca)

37. Labor omnia vicit. (Virgil)

38. Ego autem rogavi pro te (episcopal motto)

39. In Deo speravi non timebo (episcopal motto)

40. Infirma mundi elegit Deus. (motto of Vital-Justin Grandin)

41. Fui quod es, eris quod sum. (commonly on tombstones)

42. Quod natura dedit, tollere nemo potest. (Latin Proverb)

43. Adoramus te, Christe, et benedicimus tibi; quia per sanctam Crucem tuam redemisti mundi. (Alphonsus Liguori, *Way of the Cross*)

44. O adorande Jesu, non Pilatus sed iniqua mea vita te ad mortem condemnavit. (Alphonsus Liguori, *Way of the Cross*)

*iniquus - unjust

45. Elegit eam Deus, et praeelegit eam. In tabernaculo suo habitare fecit eam. (*Little Office of the Immaculate Conception*)

46. Genuisti qui te fecit, et in aeternum permanes virgo. (Novena to the Blessed Virgin)

47. Quando cor nostrum visitas, tunc lucet ei veritas. (Bernard, *Jesu Dulcis Memoria*)

48. Veni, Creator Spiritus, mentes tuorum visita, imple superna gratia, quae tu creasti pectora. (Rabanus Maurus, *Veni Creator Spiritus*)

49. Veni veni Adonai, qui populo in Sinai, legem dedisti vertice, in majestate gloriae. (*Veni Veni Emmanuel*)

*Adonai - Lord (Hebrew word)
vertex, verticis - peak (m)

50. Christus innocens Patri reconciliavit peccatores. (Wipo of Burgundy, *Victimae Paschali*)

51. Dic nobis, Maria, quid vidisti in via? Sepulcrum Christi viventis et gloriam vidi resurgentis. (Wipo of Burgundy, *Victimae Paschali*)

52. Magnificat anima mea Dominum, et exsultavit spiritus meus in Deo salvatore meo, quia respexit humilitatem ancillae suae. Ecce enim ex hoc beatam me dicent omnes generationes, quia fecit mihi magna, qui potens est, et sanctum nomen ejus… (Vespers Antiphon, Lk.1:46-49)

53. Nunc dimittis servum tuum, Domine, secundum verbum tuum in pace. Quia viderunt oculi mei salutare tuum quod parasti ante faciem omnium populorum: lumen ad revelationem gentium et gloriam plebis tuae Israel. (Compline Antiphon, Lk.2:29-32)

*faciem - face (m)

54. Salve, mundi Domina, caelorum Regina. Salve, Virgo virginum, stella matutina. Salve, plena gratia, clara luce divina. Mundi in auxilium, Domina, festina. Ab aeterno Dominus te praeordinavit matrem unigeniti Verbi, quo creavit terram, pontum, aethera, te pulchram ornavit sibi Sponsam, quae in Adam non peccavit. (*Little Office of the Immaculate Conception*)

*matutinus - early morning
unigenitus - only-begotten
aethera - sky (acc.sg.)

Chapter Seventeen

1. Formavit igitur Dominus Deus hominem de limo terrae, et inspiravit in faciem ejus spiraculum vitae, et factus est homo in animam viventem. (Gen.2:7)

   limus - dirt
   faciem - face (m)
   spiraculum - breath

2. Propterea exaudivit Deus, et attendit voci deprecationis meae. (Ps.65:19)

3. Vulnerasti cor meum, soror mea, sponsa; vulnerasti cor meum in uno oculorum tuorum. (SS.4:9)

   unus - one

4. Multi autem sunt vocati pauci vero electi. (Mt.22:14)

5. Omni autem cui multum datum est, multum quaeretur ab eo. (Lk.12:48)

6. Et Verbum caro factum est, et habitavit in nobis: et vidimus gloriam ejus. (Jn.1:14)

7. Gratia et veritas per Jesum Christum facta est. (Jn.1:17)

8. Quod scripsi, scripsi. (Jn.19:21-22)

9. Conversi estis ad Deum a simulacris servire Deo vivo et vero. (1Thes.1:9)

   converto, convertere, converti, conversus - to convert
   simulcrum - idol

10. Et qui non inventus est in libro vitae scriptus, missus est in stagnum ignis. (Rev.20:15)

*stagnum - lake, pond

11. Et dixit mihi: Factum est: ego sum alpha et omega, initium et finis. Ego sitienti dabo de fonte aquae vitae, gratis. (Rev.21:6)

12. Ecce Agnus Dei, ecce qui tollit peccata mundi. Beati qui ad cenam Agni vocati sunt. (at Mass)

13. Ecce completa sunt omnia, quae dicta sunt per Angelum de Virgine Maria. (Advent Antiphon)

14. O certe necessarium Adae peccatum, quod Christi morte deletum est. (Exsultet)

15. Et vere bene doctus est qui Dei voluntatem facit et suam voluntatem relinquit. (a Kempis)

16. In omnibus requiem quaesivi, et nusquam inveni nisi in angulo cum libro. (a Kempis)

*angulus - corner

17. Sancti venite, Christi corpus sumite, sanctum bibentes, quo redempti sanguinem. (Sechnall)

18. Alea jacta est. (Caesar)

    alea - die (one of a pair of dice)

19. Verba volant, scripta manent. (Caius Titus)

20. Fortibus est fortuna viris data. (Ennius)

21. Ignis aurum probat, miseria fortes viros. (Seneca)

    probo, probare, probavi, probatus - to prove

22. Amor meus crucifixus est (episcopal motto)

23. Assumpta est Maria (episcopal motto)

24. Salve, pretiose sanguis, de vulneribus crucifixi Domini nostri Jesu Christi profluens!
(Catholic Prayer)

25. Nos quoque, qui sancto tuo redempti sumus sanguine... (*Christe Redemptor Omnium*)

26. Hi diligentes invicem in Jesu amorem confluunt. (Leo XIII, *O Gente Felix Hospita*)

    hi - these

27. Quando venit ergo sacri plenitudo temporis, missus est ab arce patris natus orbis conditor. (Venantius Fortunatus, *Pange Lingua*)

arx, arcis - fortress, height (f)

Chapter Eighteen

1. Non habebis deos alienos in conspectu meo. (Dt.5:7)

2. Auditu auris audivi te: nunc autem oculus meus videt te. (Job.42:5)

3. Gloria et divitiae in domo ejus, et justitia ejus manet in saeculum saeculi. (Ps.111:3)

4. Justitia ejus manet in saeculum saeculi: cornu ejus exaltabitur in gloria. (Ps.111:9)

5. Propter domum Domini Dei nostri quaesivi bona tibi. (Ps.121:9)

6. Ecce nunc benedicite Dominum, omnes servi Domini: qui statis in domo Domini, in atriis domus Dei nostri. In noctibus extollite manus vestras in sancta, et benedicite Dominum. (Ps.133:1-2)

atrium - court, front hall

7. Benedictus Dominus Deus meus, qui docet manus meas ad proelium, et digitos meos ad bellum. (Ps.143:1)

8. Vidi cuncta quae fiunt sub sole, et ecce universa vanitas et afflictio spiritus. (Ecc.1:14)

9. Sapientia hominis lucet in vultu ejus. (Ecc.8:1)

10. Sanctus, sanctus, sanctus Dominus, Deus exercituum; plena est omnis terra gloria ejus. (Isa.6:3)

11. Benedicite, omnes spiritus Dei, Domino: laudate et superexaltate eum in saecula. (Dan.3:65)

12. Benedicite, spiritus et animae justorum, Domino: laudate et superexaltate eum in saecula. (Dan.3:86)

13. Erexit cornu salutis nobis, in domo David pueri sui. (Lk.1:69)

14. Palpate et videte, quia spiritus carnem et ossa non habet, sicut me videtis habere. (Lk.24:39)

palpo, palpare, palpavi, palpatus - to lightly touch
15. Pater diligit Filium et omnia dedit in manu ejus. (Jn.3:35)

16. Dabit enim tibi Dominus in omnibus intellectum. (2Tim.2:7)

17. Et in hoc scimus quoniam manet in nobis, de Spiritu quem dedit nobis. (1Jn.3:24)

hoc - this

18. In nomine Patris, et Filii, et Spiritus Sancti. Dominus vobiscum. Et cum spiritu tuo. (at Mass)

19. Gloria Patri et Filio et Spiritui Sancto, sicut erat in principio et nunc et semper, et in saecula saeculorum. (Christian Doxology)

20. O Adonai, et Dux domus Israel, qui Moysi in igne flammae rubi apparuisti, et ei in Sina legem dedisti: veni ad redimendum nos in brachio extento. (Advent Antiphon)

Adonai - Lord (Hebrew word)
rubus - bush, shrub

21. O Clavis David, et sceptrum domus Israel; qui aperis et nemo claudit; claudis, et nemo aperit: veni, et educ vinctum de domo carceris, sedentem in tenebris, et umbra mortis. (Advent Antiphon)

carcer, carceris - prison (m)

22. Vicit Leo de tribu Juda, Radix David, alleluia! (Anthony of Padua)

23. O spiraculum sanctitatis, O ignis caritatis, O dulcis gustus in pectoribus! (Hildegard)

*spiraculum - breath

24. Diligam te, Domine, fortitudo mea, firmamentum meum, refugium meum, liberator meus, Deus meus, adjutor meus, protector meus, cornu salutis meae, et susceptor meus. (Hugo of St. Victor)

25. Manum misi in ignem. (Jerome)

26. Crede mihi, sacra populi lingua est. (Seneca the Elder)

27. Aperi eis Spiritus Christi (episcopal motto)

28. Spiritu ambulate (episcopal motto)

29. Senatus Populusque Romanus (motto of Ancient Rome)

30. In nomine Patris et Filii et Spiritus Sancti. Amen. (Sign of the Cross)

31. Pange lingua gloriosi corporis mysterium, sanguinisque pretiosi, quem in mundi pretium fructus ventris generosi rex effudit gentium. (Aquinas, *Pange Lingua*)

*pango, pangere, pepigi, pactus - to compose, write, sing
venter, ventris - womb (m)

32. Accende lumen sensibus, infunde amorem cordibus. (Rabanus Maurus, *Veni Creator Spiritus*)

33. Paradisi clavis et janua, fac nos duci quo, Mater, gloria coronaris. (Simon Stock, *Flos Carmeli*)

34. Veni O Jesse Virgula, ex hostis tuos ungula, de specu tuos tartari, educ et antro barathri. (*Veni Veni Emmanuel*)

   virgula - rod
   ungula - hoof
   specus - cave (4)
   tartarus - hell
   antrum - cavern
   barathrum - abyss

35. Benedictus es, Domine Deus Israel patris nostri, ab aeterno in aeternum. Tua est, Domine, magnificentia, et potentia, et gloria, atque victoria: et tibi laus: cuncta enim quae in caelo sunt et in terra, tua sunt: tuum, Domine, regnum, et tu es super omnes principes. Tuae divitiae, et tua est gloria: tu dominaris omnium. In manu tua virtus et potentia: in manu tua magnitudo, et imperium omnium. (1Chr.29:10-12)

   dominaris - you govern

Chapter Nineteen

1. Sed et Seth natus est filius, quem vocavit Enos: iste coepit invocare nomen Domini. (Gen.4:26)

2. Vere Dominus est in loco isto, et ego nesciebam… Non est hic aliud nisi domus Dei, et porta caeli. (Gen.28:16-17)

3. Scio quia omnia potes, et nulla te latet cogitatio. (Job.42:2)

4. Quis est iste rex gloriae? Dominus fortis et potens, Dominus potens in praelio. (Ps.23:8)

5. Dominus adjutor meus et protector meus; in ipso speravit cor meum, et adjutus sum. (Ps.27:7)

6. Emitte lucem tuam et veritatem tuam: ipsa me deduxerunt et adduxerunt in montem sanctum tuum, et in tabernacula tua. (Ps.42:3, at Mass)

7. Quoniam hic est Deus, Deus noster in aeternum, et in saeculum saeculi: ipse reget nos in saecula. (Ps.47:15)

8. Veritas mea et misericordia mea cum ipso: et in nomine meo exaltabitur cornu ejus. (Ps.88:25)

9. Quid est quod fuit? Ipsum quod futurum est. Quid est quod factum est? Ipsum quod faciendum est. Nihil sub sole novum. (Ecc.1:9-10)

10. Tota pulchra es, amica mea. (SS.4:7)

11. Qui timetis Dominum, credite illi... Qui timetis Dominum, sperate in illum... Qui timetis Dominum, diligite illum. (Sir.2:8-10)

12. Magnificavit ergo Dominus Salomonem super omnem Israel: et dedit illi gloriam regni, qualem nullus habuit ante eum rex Israel. (1Chr.29:25)

13. Beati pauperes spiritu: quoniam ipsorum est regnum caelorum. (Mt.5:3)

14. Quicumque enim fecerit voluntatem Patris mei, qui in caelis est, ipse meus frater, et soror, et mater est. (Mt.12:50)

15. Qui enim fecerit voluntatem Dei, hic frater meus, et soror mea, et mater est. (Mk.3:35)

16. Sumite, hoc est corpus meum. (Mk.14:22)

17. Hoc facite in meam commemorationem. (Lk.22:19, at Mass)

18. In mundo erat, et mundus per ipsum factus est, et mundus eum non cognovit. (Jn.1:10)

19. Ille erat lucerna ardens et lucens. (Jn.5:35 about John the Baptist)

*lucerna - lamp

20. In hoc cognovimus caritatem Dei, quoniam ille animam suam pro nobis posuit: et nos debemus pro fratribus animas ponere. (1Jn.3:16)

21. Qui vicerit, possidebit haec: et ero illi Deus, et ille erit mihi filius. (Rev.21:7)

22. Suscipe, sancte Pater omnipotens aeterne Deus, hanc immaculatam hostiam. (at Mass)

23. Hoc est enim corpus meum. (at Mass)

24. Per ipsum, et cum ipso, et in ipso, est tibi Deo Patri omnipotenti, in unitate Spiritus Sancti, omnis honor et gloria, per omnia saecula saeculorum. Amen. (at Mass)

25. Fac me humilem et patientem in laboribus hujus vitae. (Alphonsus Liguori)

26. O bonitas infinita! O caritas infinita! Deus mihi se totum dedit, factus est totus meus! (Alphonsus Liguori)

27. Tu solus, Deus meus, tu solus, solus es, et semper eris amor meus et omnia. (Alphonsus Liguori)

28. Hominem unius libri timeo. (Aquinas)

29. Omne quod movetur, ab alio movetur. (Aquinas)

30. Unde per caritatem homo in Deo ponitur et cum eo unum efficitur. (Aquinas)

31. Deum et animam scire cupio, nihil aliud. (Augustine)

32. Extra Ecclesiam nulla salus. (Cyprian)

33. Dilige illum, dilige te propter illum, dilige dona illius propter illum... Dilige in donis illius, quod data sunt ab illo. Illum tibi, et te illi dilige. (Hugo of St. Victor)

34. Haec sunt verba tua, Christe, Veritas aeterna. (a Kempis)

35. O veritas Deus, fac me unum tecum in charitate perpetua. (a Kempis)

*charitas = caritas

36. 'Regnum Dei intra vos est', dicit Dominus. Converte te ex toto corde tuo ad Dominum, et relinque hunc miserum mundum, et inveniet anima tua requiem. (a Kempis)

37. Alpha et Omega, ipse Christus Dominus, venit venturus judicare homines. (Sechnall)

38. Non sum uni angulo natus; patria mea totus hic est mundus. (Seneca)

*angulus - corner

39. Verus amicus… est enim is qui est tamquam alter idem. (Cicero)

40. Disce, puer, virtutem ex me verumque laborem, fortunam ex aliis. (Virgil)

41. Speravimus ista dum fortuna fuit. (Virgil)

42. O beata solitudo, O sola beatitudo! (Carthusian Motto)

43. Aliis non sibi clemens (episcopal motto)

44. Alter alterius onera portate (episcopal motto)

45. Christo in aliis servire (episcopal motto)

46. Crux totius orbis lumen (episcopal motto)

47. Dominus ipse faciet (episcopal motto)

48. Totus tuus (motto of John Paul the Great)

49. Unus pro omnibus, omnes pro uno (motto of Switzerland)

50. In hoc signo vinces. (seen by Constantine)

51. Quid haec ad aeternitatem? (Catholic phrase)

52. Aliud est dicere, aliud est facere. (Latin Proverb)

53. Nullus difficilis cupienti labor. (Latin Proverb)

54. In te credo, in te spero, te amo, te adoro, beata Trinitas unus Deus, miserere mei nunc et in hora mortis meae et salva me. Amen. (Catholic Prayer)

55. Pro dolorosa ejus passione, miserere nobis et totius mundi. (Divine Mercy Chaplet)

56. Ipse creavit illam in Spiritu Sancto, et effundit illam super omnia opera sua. (*Little Office of the Immaculate Conception*)

57. Qui cuncta solus efficis, cunctisque solus sufficis, tu sola lux es omnibus, et praemium sperantibus. (*Aeterna Lux Divinitas*)

58. Jesu, Rex admirabilis et triumphator nobilis, dulcedo ineffabilis, totus desiderabilis! (Bernard, *Jesu Dulcis Memoria*)

59. Te, Christe, solum novimus. (Prudentius, *Nox et Tenebrae*)

60. In principio erat Verbum, et Verbum erat apud Deum, et Deus erat Verbum. Hoc erat in principio apud Deum. Omnia per ipsum facta sunt: et sine ipso factum est nihil quod factum est. In ipso vita erat, et vita erat lux hominum. Et lux in tenebris lucet, et tenebrae eam non comprehenderunt. (Jn.1:1-5)

61. Nihil potest quietare voluntatem hominis, nisi bonum universale. Quod non invenitur in aliquo creato, sed solum in Deo, quia omnis creatura habet bonitatem participatam. Unde solus Deus voluntatem hominis implere potest. (Aquinas)

62. Suscipe, Domine, universam meam libertatem. Accipe memoriam, intellectum atque voluntatem omnem. Quidquid habeo vel possideo mihi largitus es; id tibi totum restituo. (Ignatius of Loyola)

*largitus es - you have granted
restituo, restituere, restitui, restitutus - to restore

Chapter Twenty

1. Appellavitque lucem Diem, et tenebras Noctem: factumque est vespere et mane, dies unus. (Gen.1:5)

*appello, appellare, appellavi, appellatus - to name

2. Tecum principium in die virtutis tuae in splendoribus sanctorum. (Ps.109:5)

3. Spes ejus in Domino Deo ipsius, qui fecit caelum et terram, mare, et omnia quae in eis sunt. (Ps.145:5-6)

4. Cor gaudens exhilarat faciem. (Prv.15:13)

5. Benedicite, noctes et dies, Domino: laudate et superexaltate eum in saecula. (Dan.3:71)

6. Qui manducat meam carnem et bibit meum sanguinem, in me manet, et ego in illo. (Jn.6:57)

7. Spe gaudentes. (Rom.12:12)

8. Et omnis qui habet hanc spem in eo, sanctificat se, sicut et ille sanctus est. (1Jn.3:3)

9. Laudabo te semper omnibus diebus vitae meae. (Prayer of Manasseh)

10. Hic est enim calix sanguinis mei novi et aeterni testamenti, mysterium fidei, qui pro vobis et pro multis effundetur in remissionem peccatorum. (at Mass)

*calix, calicis - chalice (m)

11. Tuis enim fidelibus, Domine, vita mutatur, non tollitur. (at Funeral Mass)

12. Haec nox est, de qua scriptum est: Et nox sicut dies illuminabitur. (Exsultet)

13. At sanguis tuus, O Jesu, spes mea est. Numquam, spero, te amare cessabo. (Alphonsus Liguori)

14. Peccatores in re, sancti in se. (Augustine)

15. Amicitia quae desinere potest vera numquam fuit. (Jerome)

*desino, desinere, desii, desitus - to cease

16. Hic autem in Sacramento altaris totus praesens es Deus meus, homo Christus Jesus. (a Kempis)

17. Ratio humana debilis est, et falli potest; fides autem vera falli non potest. (a Kempis)

*debilis, debilis - weak

18. Omnium rerum principia parva sunt. (Cicero)

19. Veritatem dies aperit. (Seneca)

20. Felix qui potuit rerum cognoscere causas. (Virgil)

21. Ardente fide (episcopal motto)

22. Caritate Christi fidelitate Mariae (episcopal motto)

23. Fides quaerens intellectum (motto of Anselm)

24. Pro fide, lege, et rege (motto of Polish-Lithuanian Commonwealth)

25. Semper fidelis (motto of US Marine Corps)

26. Spe Salvi (encyclical of Benedict XVI)

27. Sensus fidelium (Catholic phrase)

28. Fides et Ratio (encyclical of John Paul the Great)

29. Gaudium et Spes (Vatican II document)

30. Dum anima est, spes est. (Latin Proverb)

31. Tota voluntatis meae inclinatione ad te solum convertar, qui meo nimis dignus es amore. (Alphonsus Liguori, *Way of the Cross*)

32. Veni, Sancte Spiritus, reple tuorum corda fidelium, et tui amoris in eis ignem accende. (Catholic Prayer)

*repleo, replere, replevi, replitus - to fill again

33. Qui finis et exordium rerumque fons es omnium, tu solus es solacium, tu certa spes credentium. (*Aeterna Lux Divinitas*)

*exordium - beginning

34. Aeterne rerum conditor, noctem diemque qui regis, et temporum das tempora! (Ambrose, *Aeterne Rerum Conditor*)

35. In cruce latebat sola Deitas, at hic latet simul et Humanitas, ambo tamen credens atque confitens, peto quod petivit latro poenitens. (Aquinas, *Adoro Te Devote*)

*ambo - both
confitens - confessing, believing strongly

36. Panis angelicus fit panis hominum; dat panis coelicus figuris terminum. O res mirabilis! Manducat Dominum pauper servus et humilis. (Aquinas, *Panis Angelicus*)

37. Christe qui splendor et dies, noctis tenebras detegis. (*Christe qui Splendor et Dies*)

38. O majestas infinita, amor noster, spes, et vita: fac nos dignos te videre, tecum semper permanere. (*De Amore Jesu*)

134

39. Dies irae, dies illa solvet saeclum in favilla, teste David cum Sibylla. (*Dies Irae*)

    *saeclum = saeculum
    favilla - ash

40. Lacrimosa dies illa, qua resurget ex favilla, Judicandus homo reus. (*Dies Irae*)

    *favilla - ash

41. Qui Mariam absolvisti, et latronem exaudisti, mihi quoque spem dedisti. (*Dies Irae*)

42. Primo dierum omnium, quo mundus exstat conditus vel quo resurgens conditor nos, morte victa, liberat. (Gregory the Great, *Primo Dierum Omnium*)

43. Veni Clavis Davidica, regna reclude caelica, fac iter tutum superum, et claude vias inferum. (*Veni Veni Emmanuel*)

    *recludo, recludere, reclusi, reclusus - to open, reveal

44. O crux ave spes unica, hoc passionis tempore, auge piis justitiam, reisque dona veniam. (Venantius Fortunatus, *Vexilla Regis*)

    *augeo, augere, auxi, auctus - to enlarge, augment
    venia - pardon

45. Surrexit Christus spes mea. (Wipo of Burgundy, *Victimae Paschali*)

46. Non sum ego Christus: sed quia missus sum ante illum. Qui habet sponsam, sponsus est: amicus autem sponsi, qui stat, et audit eum, gaudio gaudet propter vocem sponsi. Hoc ergo gaudium meum impletum est. (Jn.3:28-29)

47. Salve Regina, Mater misericordiae, vita, dulcedo, et spes nostra salve. Ad te clamamus exsules filii Hevae, ad te suspiramus, gementes et flentes in hac lacrimarum valle. Eia ergo, advocata nostra, illos tuos misericordes oculos ad nos converte; et Jesum, benedictum fructum ventris tui, nobis post hoc exsilium ostende. O clemens, O pia, O dulcis Virgo Maria. (Hermann of Reichenau)

*exsul, exsulis - exile (m/f)
suspiro, suspirare, suspiravi, suspiratus - to sigh
vallis, vallis - valley (f)
venter, ventris - womb (m)

Chapter Twenty-one

1. Parce mihi, nihil enim sunt dies mei. (Job.7:16)

2. Scio enim quod redemptor meus vivit, et in novissimo die de terra surrecturus sum... et in carne mea videbo Deum meum. (Job.19:25-26)

3. Melius est nomen bonum quam unguenta pretiosa, et dies mortis die nativitatis. (Ecc.7:2)

   *unguentum - ointment, perfume
   nativitas, nativitatis - birth (f)

4. Melior est finis orationis quam principium. (Ecc.7:9)

   *oratio, orationis - speech (f)

5. Melior est patiens arrogante. (Ecc.7:9)

6. Melior est canis vivus leone mortuo. (Ecc.9:4)

7. Dicite Deo: Quam terribilia sunt opera tua, Domine! (Ps.65:3)

8. Timor Domini delectabit cor. (Sir.1:12)

9. Et Filius Altissimi vocabitur, et dabit illi Dominus Deus sedem David patris ejus: et regnabit in domo Jacob in aeternum. (Lk.1:32-33)

10. Carissimi, non mandatum novum scribo vobis, sed mandatum vetus, quod habuistis ab initio. Mandatum vetus est verbum, quod audistis. (1Jn.2:7)

11. In hoc cognoscitur Spiritus Dei: omnis spiritus qui confitetur Jesum Christum in carne venisse, ex Deo est. (1Jn.4:2)

confitetur - confesses

12. Et dixit qui sedebat in throno: Ecce nova facio omnia. Et dixit mihi: Scribe, quia haec verba fidelissima sunt, et vera. (Rev.21:5)

13. Te igitur, clementissime Pater, per Jesum Christum, Filium tuum, Dominum nostrum, supplices rogamus ac petimus. (at Mass)

supplex, supplicis - kneeling, begging

14. O Mater alma Christi carissima, suscipe pia laudum praeconia. (Adrian Fortescue)

praeconium - proclamation

15. Sequentia de Sancto Michaele, quam Alcuinus composuit Karolo imperatori. Summi regis archangele Michahel, intende quaesumus nostris vocibus. (Alcuin)

sequentia - sequence (a type of poem)

16. Audi nos, Michahel, angele summe. (Alcuin)

17. Parce mihi, o Bonitas infinita, per amorem Jesu Christi, quia te offendisse toto corde me paenitet. (Alphonsus Liguori)

18. Melior est in via, amor Dei quam Dei cognitio. (Aquinas)

19. Summe, optime, potentissime, omnipotentissime, misericordissime et justissime, secretissime et praesentissime, pulcherrime et fortissime, stabilis et incomprehensibilis, immutabilis mutans omnia, numquam novus numquam vetus, innovans omnia. (Augustine)

20. Aliquid amplius invenies in silvis quam in libris. (Bernard)

*amplius - more

21. Ecce deus fortior me! (Dante)

22. Adoramus te, sanctissime Domine Jesu Christe, hic et ad omnes ecclesias tuas, quae sunt in toto mundo, et benedicimus tibi; quia per sanctam Crucem tuam redemisti mundum. Amen. (Francis of Assisi)

23. Lucis Creator optime! (Gregory the Great)

24. Praesta Pater piissime! (Gregory the Great)

25. O pulcherrima et dulcissima, quam valde Deus in te delectabatur! (Hildegard about the Virgin Mary)

26. Audivi enim saepe, securius esse audire et accipere consilium quam dare. (a Kempis)

27. Humilis tui cognitio certior via est ad Deum, quam profundae scientiae inquisitio. (a Kempis)

inquisitio, inquisitionis - investigation (f)

28. Multos in summa pericula misit venturi timor ipse mali. (Lucan)

29. Brevissima ad divitias per contemptum divitiarum via est. (Seneca)

30. Maximum remedium irae mora est. (Seneca)

31. Pejor est bello timor ipse belli. (Seneca)

32. Pax optima rerum. (Silius Italicus)

33. Ad majorem dilectionem (episcopal motto)

34. Carior libertas (episcopal motto)

35. Caritas major autem (episcopal motto)

36. Delectabor in Domino (episcopal motto)

37. Dulcius melle fortius leone (episcopal motto)

38. Tu summum bonum es (episcopal motto)

39. Ad majorem Dei gloriam (motto of Jesuits)

40. Virtus unita fortior. (motto of Andorra)

41. Excelsior (motto of New York)

42. Esse quam videri (motto of North Carolina)

43. Sapientia melior auro. (motto of the University of Deusto)

44. E pluribus unum (motto of USA)

45. Vetus Testamentum (Christian phrase)

46. Summa Theologiae (title of Aquinas' masterpiece)

47. Pater aeterne, offero tibi corpus et sanguinem, animam et divinitatem dilectissimi Filii tui, Domini nostri, Jesu Christi, in propitiatione pro peccatis nostris et totius mundi. (Divine Mercy Chaplet)

*propitiatio, propitiationis - atonement (f)
48. O quam suavis est Domine spiritus tuus. (*Little Office of the Blessed Sacrament*)

49. Civitas altissimi, porta orientalis: in te est omnis gratia, Virgo singularis. (*Little Office of the Immaculate Conception*)

50. Ego in altissimis habito, et thronus meus in columna nubis. (*Little Office of the Immaculate Conception*)

nubes, nubis - cloud (f)

51. O Victima caritatis, Cor amantissimum Jesu, pro peccatis nostris immolatum, ab ingratis hominibus neglectum et afflictum, converte nos, vivifica nos, accende nos. (*Little Office of the Sacred Heart of Jesus*)

52. O sacrum Cor Jesu, salutis nostrae sitientissimum! (Sacred Heart Novena)

53. Visus, tactus, gustus, in te fallitur; sed auditu solo tuto creditur. Credo quidquid dixit Dei Filius; nil hoc verbo veritatis verius. (Aquinas, *Adoro Te Devote*)

54. Jesu spes paenitentibus, quam pius es petentibus! Quam bonus te quaerentibus, sed quid invenientibus? (Bernard, *Jesu Dulcis Memoria*)

55. Caeli Deus sanctissime! (*Caeli Deus Sanctissime*)

56. O Sanctissima, O Piissima, dulcis virgo Maria! (*O Sanctissima*)

57. Scimus Christum surrexisse a mortuis vere: tu nobis, victor Rex, miserere. (Wipo of Burgundy, *Victimae Paschali*)

58. O ineffabilis decor Dei excelsi et purissima claritas lucis aeternae, vita omnem vitam vivificans, lux omne lumen illuminans et conservans in splendore perpetuo multiformia lumina fulgentia, ante thronum divinitatis tuae a primaevo diluculo! (Bonaventure)

primaevo diluculo - primeval dawn (abl.)

59. Benedictus Deus. Benedictum Nomen Sanctum ejus. Benedictus Jesus Christus, verus Deus et verus homo. Benedictum Nomen Jesu. Benedictum Cor ejus sacratissimum. Benedictus Sanguis ejus pretiosissimus. Benedictus Jesus in sanctissimo altaris Sacramento. Benedictus Sanctus Spiritus, Paraclitus. Benedicta excelsa Mater Christi, Maria sanctissima. Benedicta sancta ejus et Immaculata Conceptio. Benedicta ejus gloriosa Assumptio. Benedictum nomen Mariae, Virginis et Matris. Benedictus sanctus Joseph, ejus castissimus Sponsus. Benedictus Deus in Angelis suis, et in Sanctis suis. Amen. (The Divine Praises)

Chapter Twenty-two

1. Dixitque Deus: 'Fiat lux.' Et facta est lux. (Gen.1:3)

2. Convertat Dominus vultum suum ad te, et det tibi pacem. (Num.6:24-26)

3. Sit nomen Domini benedictum ex hoc nunc et usque in saeculum. (Ps.112:2)

4. Fiat pax in virtute tua: et abundantia in turribus tuis. (Ps.121:7)

5. Melius est videre quod cupias, quam desiderare quod nescias. Sed et hoc vanitas est, et praesumptio spiritus. (Ecc.6:9)

6. Non est enim homo justus in terra qui faciat bonum et non peccet. (Ecc.7:21)

7. Benedicat terra Dominum: laudet et superexaltet eum in saecula. (Dan.3:74)

8. Benedicat Israel Dominum: laudet et superexaltet eum in saecula. (Dan.3:83)

9. Ecce ego mittam vobis Eliam prophetam, antequam veniat dies Domini magnus et horribilis. Et convertet cor patrum ad filios, et cor filiorum ad patres eorum. (Mal.4:5-6)

10. Beati mundo corde: quoniam ipsi Deum videbunt. (Mt.5:8)

11. Dixit autem Maria: Ecce ancilla Domini: fiat mihi secundum verbum tuum. (Lk.1:38)

12. Non diligamus verbo neque lingua, sed opere et veritate. (1Jn.3:18)

13. Carissimi, diligamus nos invicem. (1Jn.4:7)

14. Et clamor meus ad te veniat. (at Mass)

15. Oremus. (at Mass)

16. Gratias agamus Domino Deo nostro. (at Mass)

17. Suscipiat Dominus sacrificium de manibus tuis, ad laudem et gloriam nominis sui, ad utilitatem quoque nostram, totiusque Ecclesiae suae sanctae. (at Mass)

18. Benedicas haec dona, haec munera, haec sancta sacrificia. (at Mass)

19. Pax Domini sit semper vobiscum. (at Mass)

20. Corpus/Sanguis Domini nostri Jesu Christi custodiat animam meam in vitam aeternam. (at Mass)

21. Benedicat vos omnipotens Deus, Pater, et Filius, et Spiritus Sanctus. (at Mass)

22. Benedicamus Domino. (at the Divine Office)

23. Divinum Auxilium maneat semper nobiscum. (at the Divine Office)

24. Requiescant in pace. (at the Divine Office)

25. Adoremus in aeternum sanctissimum Sacramentum. (Eucharistic Antiphon)

26. Ave, ave, ave, coeli panis vive. Laudetur in aeternum sanctissimum Sacramentum. (Eucharistic Antiphon)

27. In paradisum deducant te angeli; in tuo adventu suscipiant te martyres, et perducant te in civitatem sanctam Jerusalem. Chorus angelorum te suscipiat, et cum Lazaro quondam paupere aeternam habeas requiem. (Funeral Antiphon)

28. Requiem aeternam dona eis Domine, et lux perpetua luceat eis. (Funeral Antiphon)

29. Gloria, laus et honor tibi sit, Rex Christe, Redemptor: cui puerile decus prompsit Hosanna pium. (Palm Sunday Antiphon)

*promo, promere, prompsi, promptus - to bring forth
30. Sed nihil possum, nisi tu adjuves me gratia tua. (Alphonsus Liguori)

31. Delectet me, Domine, labor qui est pro te. (Aquinas)

32. Omne verum, a quocumque dicatur, a Spiritu Sancto est. (Aquinas)

33. Et quis locus est in me quo veniat in me Deus meus, quo Deus veniat in me, Deus qui fecit caelum et terram? (Augustine)

34. Fecisti nos ad te et inquietum est cor nostrum donec requiescat in te. (Augustine)

35. Spes nostra non sit, nisi in Deo. (Augustine)

36. Operi Dei nihil praeponatur. (Benedict)

37. Et ideo mens nostra tantis splendoribus irradiata et superfusa, nisi sit caeca, manu duci potest per semetipsam ad contemplandam illam lucem aeternam. (Bonaventure)

irradiata et supefusa - illuminated and endowed (nom.sg.f.)
38. Oro, Domine, intellectum illumines, voluntatem inflammes, cor emundes, animam sanctifices. (Clement XI)

39. Spiritui Sancto honor sit. (Hildegard)

40. Ratio ducat, non fortuna. (Livy)

41. Vive cum hominibus tamquam deus videat. (Seneca)

42. Igitur qui desiderat pacem, praeparet bellum. (Vegetius)

43. Quis fallere possit amantem? (Virgil)

44. Absit gloriari nisi in Cruce Domini nostri Jesu Christi (episcopal motto)

45. Adveniat regnum tuum (episcopal motto)

46. Ametur cor Jesu (episcopal motto)

47. Christi simus non nostri (episcopal motto)

48. Deus det nobis pacem (episcopal motto)

49. Crux sancta sit mihi lux. (initialled on the medal of St. Benedict)

50. Tu Mater viventium et porta es sanctorum, nova stella Jacob, Domina angelorum… Porta et refugium sis Christianorum. (*Little Office of the Immaculate Conception*)

51. Genitori Genitoque laus et jubilatio, salus, honor, virtus quoque sit et benedictio. (Aquinas, *Pange Lingua*)

52. Sis, Jesu, nostrum gaudium, qui es futurus praemium: sit nostra in te gloria, per cuncta semper saecula. (Bernard, *Jesu Dulcis Memoria*)

53. Sit Christe Rex piissime, tibi Patrique gloria, cum Spiritu Paraclito, in sempiterna saecula. (*Christe qui Splendor et Dies*)

54. Da pacem, Domine, in diebus nostris, quia non est alius qui pugnet pro nobis nisi tu Deus noster. (*Da Pacem Domine*)

55. Jubilemus et cantemus in beata coeli vita. Amen! Jesu fiat ita. (*De Amore Jesu*)

56. Deo Patri sit gloria, ejusque soli Filio, cum Spiritu Paraclito, nunc et per omne saeculum. (*Jam Lucis Orto Sidere*)

57. Jesu, tibi sit gloria, qui natus es de Virgine, cum Patre, et almo Spiritu, in sempiterna saecula. (*Jam Morte Victor Obruta*)

58. Audit tyrannus anxius adesse regum principem, qui nomen Israel regat teneatque David regiam. (Prudentius, *Cathemerinon*)

regia - royal house

59. Christum canamus Principem, natum Maria Virgine. (Sedulius, *A Solis Ortus*)

60. Benedicamus Patrem, et Filium cum Sancto Spiritu. Laudemus et superexaltemus eum in saecula. (*Trisagium Angelicum*)

61. Victimae paschali laudes immolent Christiani. (Wipo of Burgundy, *Victimae Paschali*)

62. Visita, quaesumus, Domine, habitationem istam, et omnes insidias inimici ab ea longe repelle: Angeli tui sancti habitent in ea, qui nos in pace custodiant, et benedictio tua sit super nos semper, per Christum Dominum nostrum. Amen. (Compline Prayer)

longe - far

63. Dic nunc, totum 'cor meum', dic nunc Deo: 'Quaero vultum tuum, vultum tuum, Domine, requiro.' Eia nunc ergo tu, Domine Deus meus, doce cor meum ubi et quomodo quaerat ubi et quomodo te inveniat. (Anselm quoting Ps.26)

64. Ave, crux sancta, virtus nostra. Ave, crux adoranda, laus et gloria nostra. Ave, crux, auxilium et refugium nostrum. Ave, crux, consolatio omnium moerentium. Salve, crux, victoria et spes nostra. Salve, crux, defensio et vita nostra. Salve, crux, redemptio et liberatio nostra. Salve, crux, signum salutis, atque inexpugnabilis murus contra omnem virtutem inimici. Sit mihi crux semper spes Christianitatis meae. Sit mihi crux resurrectio mortis meae. Sit mihi crux triumphus adversus daemones. Sit mihi crux mater consolationis meae. (Anselm)

*moereo, moerere - to mourn
inexpugnabilis, inexpugnabilis - unconquerable
murus - wall
adversus - against

65. Adeste fideles, laeti triumphantes, Venite venite in Bethlehem, Natum videte, Regem Angelorum. Deum de Deo, lumen de lumine, Gestant puellae viscera, Deum verum, genitum non factum. Cantet nunc io, chorus angelorum, Cantet nunc aula caelestium. Gloria gloria, in excelsis Deo. Ergo qui natus, die hodierna, Jesu tibi sit gloria. Patris aeterni, Verbum caro factum. Venite adoremus, venite adoremus, venite adoremus Dominum. (Christmas Carol)

*laetus - happy
gesto, gestare, gestavi, gestatus - to bear
viscus, visceris - inner organ of the body (n)
io! - Hooray!
aula - royal court
hodierna - today

Chapter Twenty-Three

1. Observa diem sabbati, ut sanctifices eum, sicut praecepit tibi Dominus Deus tuus. (Dt.5:12)

2. Ventus est vita mea, et non revertetur oculus meus ut videat bona. (Job.7:7)

3. In te, Domine, speravi; non confundar in aeternum. (Ps.30:2)

4. Angelis suis mandavit de te, ut custodiant te in omnibus viis tuis. (Ps.90:11)

5. Benedicat tibi Dominus ex Sion, et videas bona Jerusalem omnibus diebus vitae tuae, et videas filios filiorum tuorum: pacem super Israel. (Ps.127:5-6)

6. Audi, fili mi, disciplinam patris tui, et ne dimittas legem matris tuae. (Prv.1:8)

7. Sic luceat lux vestra coram hominibus: ut videant opera vestra bona, et glorificent Patrem vestrum, qui in caelis est. (Mt.5:16)

8. Et ait angelus ei: Ne timeas, Maria: invenisti enim gratiam apud Deum. (Lk.1:30)

9. Qui autem facit veritatem, venit ad lucem, ut manifestentur opera ejus, quia in Deo sunt facta. (Jn.3:21)

10. Ego lux in mundum veni, ut omnis qui credit in me, in tenebris non maneat. (Jn.12:46)

11. Hoc est praeceptum meum, ut diligatis invicem sicut dilexi vos. (Jn.15:12)

12. Haec mando vobis: ut diligatis invicem. (Jn.15:17)

13. Haec est autem vita aeterna: ut cognoscant te, solum Deum verum, et quem misisti Jesum Christum. (Jn.17:3)

14. Et sublevatis oculis in caelum, [Jesus] dixit: Pater, venit hora: clarifica Filium tuum, ut Filius tuus clarificet te. (Jn.17:1)

*sublevo, sublevare, sublevavi, sublevatus - to raise

15. Haec autem scripta sunt ut credatis, quia Jesus est Christus Filius Dei: et ut credentes, vitam habeatis in nomine ejus. (Jn.20:31)

16. Infirma mundi elegit ut confundat fortia. (1Cor.1:27)

17. Quoniam Filium suum unigenitum misit Deus in mundum, ut vivamus per eum. (1Jn.4:9)

18. Et hoc mandatum habemus a Deo: ut qui diligit Deum, diligat et fratrem suum. (1Jn.4:21)

19. Orate fratres ut meum ac vestrum sacrificium acceptabile fiat apud Deum Patrem omnipotentem. (at Mass)

20. Domine, non sum dignus ut intres sub tectum meum, sed tantum dic verbo, et sanabitur anima mea. (at Mass)

*tectum - roof

21. Haec nox est, in qua, destructis vinculis mortis, Christus ab inferis victor ascendit. (Exsultet)

22. Suscipe me Domine secundum eloquium tuum et vivam, et non confundas me ab expectatione mea. (Monastic Consecration)

*eloquium - utterance, word

23. Amantissime Domine mi, doleo ex tota anima mea de peccatis meis. (Alphonsus Liguori)

24. Ne permittas, ne permittas me separari a te. (Alphonsus Liguori)

25. Credo ut intelligam. (Augustine)

26. Non enim amat Deus damnare sed salvare, et ideo patiens est in malos, ut de malis faciat bonos. (Augustine)

27. Rogamus te, Domine, ut sis adjutor et auxiliator noster. (Clement I)

28. Adoro te ut primum principium; desidero ut finem ultimum; laudo ut benefactorem perpetuum; invoco ut defensorem propitium. (Clement XI)

29. O splendidissima gemma... fons saliens de corde Patris! (Hildegard)

30. Quis ego sum ut praestes mihi temetipsum? (a Kempis)

31. Sed unde mihi hoc ut venias ad me? (a Kempis)

32. Quis mihi det, Domine, ut inveniam te solum, ut aperiam tibi totum cor meum? (a Kempis)

33. Vivas ut possis. (Caecilius Statius)

34. Numquam enim temeritas cum sapientia commiscetur. (Cicero)

*temeritas, temeritatis - rashness (f)

35. Amor misceri cum timore non potest. (Publilius Syrus)

36. Ut in omnibus glorificetur Deus. (Benedictine motto, 1Pet.4:11)

37. Ora et labora ut habeant vitam (episcopal motto)

38. Do ut des. (Latin phrase)

39. Ave, augustissima Regina pacis, sanctissima Mater Dei, per sacratissimum Cor Jesu Filii tui Principis pacis, fac ut quiescat ira ipsius et regnet super nos in pace. (Catholic Prayer)

40. O sacrum Cor Jesu, diligentibus te beneficentissimum, deficiat in te caro nostra et cor nostrum, ut sis amor cordis nostri et pars nostra in aeternum. (*Little Office of the Sacred Heart of Jesus*)

41. Paratum cor meum, Deus cordis mei, ut faciam voluntatem tuam. (*Little Office of the Sacred Heart of Jesus*)

42. Sic fiat, ut nos caritas jungat. (Leo XIII, *O Gente Felix Hospita*)

43. Veni O Sapientia, quae hic disponis omnia, veni viam prudentiae, ut doceas et gloriae. (*Veni Veni Emmanuel*)

44. Veni veni Rex gentium, veni Redemptor omnium, ut salves tuos famulos, peccati sibi conscios. (*Veni Veni Emmanuel*)

*conscius - conscious

45. Domine Jesu Christe, qui dixisti: Petite et accipietis; quaerite et invenietis; pulsate et aperietur vobis; quaesumus, da nobis petentibus divinissimi tui amoris affectum, ut te toto corde, ore et opere diligamus et a tua numquam laude cessemus. (Sacred Heart Novena)

46. Cur igitur non amem te, O Jesu amantissime, non ut in coelo salves me, aut ne aeternum damnes me, nec praemii ullius spe, sed sicut tu amasti me? Sic amo et amabo te, solum quia Rex meus es, et solum quia Deus es. (Francis Xavis, *O Deus Ego Amo Te*)

47. Homo quidam fecit coenam magnam et misit servum suum hora coenae dicere invitatis, ut venirent: quia parata sunt omnia. Venite comedite panem meum et bibite vinum quod miscui vobis. Gloria Patri et Filio, et Spiritui Sancto. (Antiphon from the Octave of Corpus Christi)

*comedo, comedere, comedi, comesus - to eat

48. Pater noster, qui es in caelis: sanctificetur nomen tuum; adveniat regnum tuum; fiat voluntas tua, sicut in caelo et in terra. Panem nostrum cotidianum da nobis hodie; et dimitte nobis debita nostra, sicut et nos dimittimus debitoribus nostris; et ne nos inducas in tentationem; sed libera nos a malo. (The Lord's Prayer)

*cotidianum - daily
tentatio, tentationis - temptation (f)

49. O Domina mea, sancta Maria, me in tuam benedictam fidem ac singularem custodiam et in sinum misericordiae tuae, hodie et quotidie et in hora exitus mei animam meam et corpus meum tibi commendo. Omnem spem et consolationem meam, omnes angustias et miserias meas, vitam et finem vitae meae tibi committo, ut per tuam sanctissimam intercessionem et per tua merita, omnia mea dirigantur et disponantur opera secundum tuam tuique Filii voluntatem. Amen. (Aloysius Gonzaga)

*sinus - bosom, heart (4)
quotidie - everyday
angustia - anguish

Chapter Twenty-four

1. Speret Israel in Domino ex hoc nunc et usque in saeculum. (Ps.130:3)

2. Haec dicit Dominus: State super vias, et videte, et interrogate de semitis antiquis quae sit via bona, et ambulate in ea: et invenietis refrigerium animabus vestris. Et dixerunt: Non ambulabimus. (Jer.6:16)

*semita - footpath, narrow way
refrigerium - coolness
animabus = animis

3. Hic est Filius meus dilectus in quo mihi complacui. (Mt.3:17)

4. Amen dico vobis, quicumque non acceperit regnum Dei sicut puer, non intrabit in illud. (Lk.18:17)

5. Quodcumque dixerit vobis, facite. (Jn.2:5)

6. Haec est autem voluntas Patris mei, qui misit me: ut omnis qui videt Filium et credit in eum, habeat vitam aeternam, et ego resuscitabo eum in novissimo die. (Jn.6:40)

7. Venit hora, ut clarificetur Filius hominis. (Jn.12:23)

8. Et jam non sum in mundo, et hi in mundo sunt, et ego ad te venio. Pater sancte, serva eos in nomine tuo, quos dedisti mihi: ut sint unum, sicut et nos. (Jn.17:11)

9. Placuit Deo… salvos facere credentes. (1Cor.1:21)

10. Elegit nos… ut essemus sancti et immaculati in conspectu ejus. (Eph.1:4)

11. Haec est enim caritas Dei, ut mandata ejus custodiamus. (1Jn.5:3)

12. In spiritu humilitatis, et in animo contrito suscipiamur a te, Domine: et sic fiat sacrificium nostrum in conspectu tuo hodie, ut placeat tibi, Domine Deus. (at Mass)

13. O inaestimabilis dilectio caritatis: ut servum redimeres, Filium tradidisti! (Exsultet)

14. Libera me, Domine, de morte aeterna, in die illa tremenda, quando caeli movendi sunt et terra, dum veneris judicare saeculum per ignem. (Funeral Antiphon)

15. Factus est Deus homo ut homo fieret Deus. (Augustine)

16. Ille praedicat quantum erectus sit Christus a te: Christus autem dicit quantum descendit ad te. (Augustine)

17. Nondum amabam, et amare amabam...quaerebam quid amarem, amans amare. (Augustine)

18. Sed ego peccator eam mereri non possum. (Innocent III)

19. Hoc oro, hoc desidero, ut tibi totus uniar. (a Kempis)

20. Nescire autem quid antequam natus sis acciderit, id est semper esse puerum. (Cicero)

*accido, accidere, accidi - to happen
21. Sedit qui timuit ne non succederet. (Horace)

22. Ne quid nimis. (Terence)

23. Domine ut serviam (episcopal motto)

24. Domine ut videam (episcopal motto)

25. Leo terram propriam protegat. (motto of South Georgia and the South Sandwich Islands)

26. Cor Jesu, o melle dulcius, puris amicum mentibus, puris amandum cordibus, in corde regnes omnium. (*Little Office of the Sacred Heart of Jesus*)

27. O sacrum Cor Jesu, Patris voluntati obsequentissimum, inclina ad te corda nostra, ut quae placita sunt ei faciamus semper. (*Little Office of the Sacred Heart of Jesus*)

obsequentissimus - most submissive

28. Christusque nobis sit cibus, potusque noster sit fides. (Ambrose, *Splendor Paternae Gloriae*)

29. Jesu, quem velatum nunc aspicio, oro fiat illud quod tam sitio: ut te revelata cernens facie, visu sim beatus tuae gloriae. Amen. (Aquinas, *Adoro te Devote*)

velatus - veiled
cerno, cernere, crevi, cretus - to discern

30. Uni trinoque Domino, sit sempiterna gloria, qui vitam sine termino, nobis donet in patria. (Aquinas, *O Salutaris Hostia*)

trinus - threefold, triple

31. Sub tuum praesidium confugimus, sancta Dei Genitrix: nostras deprecationes ne despicias in necessitatibus: sed a periculis cunctis libera nos semper, Virgo gloriosa et benedicta. (Ancient Compline Antiphon)

32. Non pro eis rogo tantum, sed et pro eis qui credituri sunt per verbum eorum in me: ut omnes unum sint, sicut tu Pater in me, et ego in te, ut et ipsi in nobis unum sint: ut credat mundus, quia tu me misisti. Et ego claritatem, quam dedisti mihi, dedi eis: ut sint unum, sicut et nos unum sumus. Ego in eis, et tu in me: ut sint consummati in unum: et cognoscat mundus quia tu me misisti, et dilexisti eos, sicut et me dilexisti. Pater, quos dedisti mihi, volo ut ubi sum ego, et illi sint mecum: ut videant claritatem meam, quam dedisti mihi: quia dilexisti me ante constitutionem mundi. (Jn.17:20-24)

*volo - I want
constitutio, constitutionis - arrangement (f)

33. Anima Christi, sanctifica me. Corpus Christi, salva me. Sanguis Christi, inebria me.
    Aqua lateris Christi, lava me. Passio Christi, conforta me. O bone Jesu, exaudi me.
    Intra tua vulnera absconde me. Ne permittas me separari a te. Ab hoste maligno
    defende me. In hora mortis meae voca me, et jube me venire ad te, ut cum Sanctis tuis
    laudem te, in saecula saeculorum. Amen. (Catholic Prayer)

*abscondeo, abscondere, abscondui, absconditus - to hide

34. Salvum fac populum tuum, Domine, et benedic haereditati tuae. Et rege eos, et extolle
    illos usque in aeternum. Per singulos dies benedicimus te. Et laudamus nomen tuum in
    saeculum, et in saeculum saeculi. Dignare, Domine, die isto sine peccato nos custodire.
    Miserere nostri, Domine, miserere nostri. Fiat misericordia tua, Domine, super nos,
    quemadmodum speravimus in te. In te, Domine, speravi: non confundar in aeternum.
    (Te Deum addition)

*haereditas, haereditatis - inheritance (f)
dignare - deign (imperative)
quemadmodum - just as

Chapter Twenty-five

1. Deus in domibus ejus cognoscetur cum suscipiet eam. (Ps.47:4)

2. Ne dicas amico tuo: Vade, et revertere: cras dabo tibi: cum statim possis dare. (Prv.3:28)

3. Cum ergo natus esset Jesus in Bethlehem Juda in diebus Herodis regis, ecce magi ab oriente venerunt Jerosolymam, dicentes: Ubi est qui natus est rex Judaeorum? Vidimus enim stellam ejus in oriente, et venimus adorare eum. (Mt.2:2)

4. Cum autem venerit Filius hominis in majestate sua, et omnes angeli cum eo, tunc sedebit super sedem majestatis suae. (Mt.25:31)

5. Carissimi, nunc filii Dei sumus: et nondum apparuit quid erimus. Scimus quoniam cum apparuerit, similes ei erimus: quoniam videbimus eum sicuti est. (1Jn.3:2)

6. O Jesu jucundissime, amabilis Jesu, o bone Jesu, exaudi me. O mater mea, et spes mea, Maria, tu quoque exaudi me et ora Jesum pro me. (Alphonsus Liguori)

7. Christi corpus, ave, sancta de virgine natum, viva caro, Deitas integra, verus homo. Salve vera salus, vis, vita, redemptio mundi: liberet a cunctis nos tua dextera malis. (Anselm)

8. Numquam minus solus, quam cum solus. (John Henry Newman)

9. Nam cum Deus inspexit faciem hominis quem formavit, omnia opera sua in eadem forma hominis integra aspexit. (Hildegard)

10. Vi et armis. (Cicero)

11. Vi victa vis. (Cicero)

12. Qui terret plus ipse timet. (Claudian)

13. Ut desint vires, tamen est laudanda voluntas. (Ovid)

14. Facilius est multa facere quam diu. (Quintilian)

15. Non ille diu vixit, sed diu fuit. (Seneca)

16. Qui non vetat peccare cum possit, jubet. (Seneca)

   *veto, vetare, vetui, vetitus - to forbid
17. Plura consilio quam vi perfecisse (Tacitus)

18. Multis e gentibus vires (motto of Saskatchewan)

19. Ex unitate vires (motto of South Africa)

20. Per veritatem vis. (motto of Washington University in St. Louis)

21. Contra vim mortis non crescit herba in hortis. (Medieval medicinary)

22. Te mens adoret sobria ut cum profunda clauserit diem caligo noctium, fides tenebras nesciat et nox fide reluceat. (Ambrose, *Deus Creator Omnium*)

23. Eia Mater Domini, quae pacem reddidisti angelis et homini, cum Christum genuisti: tuum exora Filium ut se nobis propitium exhibeat et deleat peccata. (*Angelus ad Virginem*)

24. Mors stupebit et natura, cum resurget creatura, Judicanti responsura. (*Dies Irae*)

stupeo, stupere, stupui, stupitus - to be stunned
25. Judex ergo cum sedebit, quidquid latet apparebit: nil inultum remanebit. (*Dies Irae*)

inultus - unavenged, unpunished
26. O quam tristis et afflicta, fuit illa benedicta, mater unigeniti; quae maerebat et dolebat, et tremebat cum videbat, nati poenas inclyti. (*Stabat Mater Dolorosa*)

maereo, maerere - to lament
inclytus - famous, illustrious
27. Eia, Mater, fons amoris, me sentire vim ardoris fac, ut tecum sentiam. (*Stabat Mater Speciosa*)

28. Audivit Jesus quia ejecerunt eum foras: et cum invenisset eum, dixit ei: Tu credis in Filium Dei? Respondit ille, et dixit: Quis est, Domine, ut credam in eum? Et dixit ei Jesus: Et vidisti eum, et qui loquitur tecum, ipse est. At ille ait: Credo, Domine. Et procidens adoravit eum. Et dixit Jesus: In judicium ego in hunc mundum veni: ut qui non vident videant, et qui vident caeci fiant. (Jn.9:35-39)

*loquitur - is speaking
procido, procidere, procidi - to fall forward

29. Dicit Simoni Petro Jesus: Simon Joannis, diligis me plus his? Dicit ei: Etiam Domine, tu scis quia amo te. Dicit ei: Pasce agnos meos. Dicit ei iterum: Simon Joannis, diligis me? Ait illi: Etiam Domine, tu scis quia amo te. Dicit ei: Pasce agnos meos. Dicit ei tertio: Simon Joannis, amas me? (Jn.21:15-17)

*tertio - a third time

Chapter Twenty-six

1. Aufer iram a corde tuo. (Ecc.11:10)

2. In die illa dicetur Jerusalem: Noli timere, Sion. (Zeph.3:16)

3. Ecce angelus Domini apparuit in somnis ei, dicens: Joseph, fili David, noli timere accipere Mariam conjugem tuam: quod enim in ea natum est, de Spiritu Sancto est. (Mt.1:20)

   *conjunx, conjugis - spouse (m/f)
4. Nolite judicare, ut non judicemini. (Mt.7:1)

5. Nolite dare sanctum canibus. (Mt.7:6)

6. Omnia ergo quaecumque vultis ut faciant vobis homines, et vos facite illis. Haec est enim lex, et prophetae. (Mt.7:12)

7. Et nolite timere eos qui occidunt corpus, animam autem non possunt occidere. (Mt.10:28)

8. Qui enim habet, dabitur illi: et qui non habet, etiam quod habet auferetur ab eo. (Mk.4:25)

9. Et respondens Jesus dixit illi: Quid tibi vis faciam? Caecus autem dixit ei: Rabboni, ut videam. (Mk.10:51)

Rabboni - Teacher (Hebrew word)

10. Stans autem Jesus jussit illum adduci ad se. Et cum appropinquasset, interrogavit illum, dicens: Quid tibi vis faciam? At ille dixit: Domine, ut videam. (Lk.18:40-41)

appropinquasset - he had approached

11. Ille autem dicit eis: Ego sum, nolite timere. (Jn.6:20)

12. Etsi mihi non vultis credere, operibus credite, ut cognoscatis, et credatis quia Pater in me est, et ego in Patre. (Jn.10:38)

13. Dicebant ergo Pilato pontifices Judaeorum: Noli scribere: Rex Judaeorum: sed quia ipse dixit: Rex sum Judaeorum. Respondit Pilatus: Quod scripsi, scripsi. (Jn.19:21-22)

14. Noli timere… propter quod ego sum tecum. (Acts.18:9-10)

15. Nolite diligere mundum, neque ea quae in mundo sunt. (1Jn.2:15)

16. Et spiritus, et sponsa dicunt: Veni. Et qui audit, dicat: Veni. Et qui sitit, veniat: et qui vult, accipiat aquam vitae, gratis. (Rev.22:17)

17. Amo te, Deus meus, teque semper diligere volo. (Alphonsus Liguori)

18. Amo te, o summum Bonum meum; diligo te, o Bonitas infinita; amo te, Deus meus, qui es infinito amore dignus, et semper repetere volo in tempore et in aeternitate: amo te, amo te. (Alphonsus Liguori)

19. Dic ergo mihi quid me vis facere, sum enim paratus ad omnia. (Alphonsus Liguori)

20. Quis me separabit a caritate Christi? O Redemptor amabilis, et quem alium diligere volo, nisi te, qui es infinita bonitas et infinito amore dignus? Quid mihi est in caelo et a te quid volui super terram? Deus cordis mei, et pars mea Deus in aeternum. (Alphonsus Liguori)

21. Deus… confer salutem corporum veramque pacem cordium. (Ambrose, *Rector Potens Verax Deus*)

22. Ama Deum et fac quid vis. (Augustine)

23. Jube quod vis. (Augustine)

24. Et quod sibi quis fieri non vult, alio ne faciat. (Benedict)

25. Offero tibi, Domine cogitanda, ut sint ad te; dicenda, ut sint de te; facienda, ut sint secundum te; ferenda, ut sint propter te. Volo quidquid vis, volo quia vis, volo quomodo vis, volo quamdiu vis. (Clement XI)

26. Quare ergo, Deus meus, fecisti me, nisi quia esse magis quam non esse voluisti me? (Hugo of St. Victor)

*quare - why?

27. Vis ut diligam te. (Hugo of St. Victor)

28. Stude ergo cor tuum ab amore visibilium abstrahere, et ad invisiblia te transferre. (a Kempis)

*abstraho, abstrahere, abstraxi, abstractus - to draw away, abstract

29. Homines id quod volunt credunt. (Caesar)

30. Quod tibi fieri non vis, alteri ne feceris. (Lampridius)

31. Nam qui peccare se nescit, corrigi non vult. (Seneca)

32. Quid est sapientia? semper idem velle atque idem nolle. (Seneca)

33. Pacemne huc fertis an arma? (Virgil)

*huc - hither, to this place
34. Volente Deo (Virgil)

35. Afferent montes pacem (episcopal motto)

36. Domine quid me vis facere (episcopal motto)

37. Surrexit nolite timere (episcopal motto)

38. Deus vult. (motto of the 1st Crusade)

39. Omnia fert tempus. (Latin Proverb)

40. Deus meus, volui et legem tuam in medio cordis mei. (*Little Office of the Sacred Heart of Jesus*)

41. Aufer tenebras mentium. (Ambrose, *Consors Paterni Luminis)*

42. Splendor paternae gloriae, de luce lucem proferens, lux lucis et fons luminis, diem dies illuminans! (Ambrose, *Splendor Paternae Gloriae*)

43. Te, satum David, statuit Creator Virginis sponsum, voluitque Verbi te patrem dici, dedit et ministrum esse salutis. (*Caelitum Joseph Decus*)

*sero, serere, sevi, satus - to beget, plant
statuo, statuere, statui, statutus - to set up

44. Liber scriptus proferetur, in quo totum continetur, unde mundus judicetur. (*Dies Irae*)

45. Nos membra confer effici tui beati corporis. (*O Nata Lux de Lumine*)

46. Vide Domine afflictionem populi tui, et mitte quem missurus es: emitte Agnum dominatorem terrae, de Petra deserti ad montem filiae Sion: ut auferat ipse jugum captivitatis nostrae. (*Rorate Caeli*)

jugum - yoke

47. Consolamini, consolamini, popule meus: cito veniet salus tua... Salvabo te, noli timere, ego enim sum Dominus Deus tuus, Sanctus Israel, Redemptor tuus. (*Rorate Caeli*)

48. Sola digna tu fuisti ferre pretium saeculi. (Venantius Fortunatus, *Pange Lingua*)

49. Salve ara salve victima, de passionis gloria, qua vita mortem pertulit, et morte vitam reddidit. (Venantius Fortunatus, *Vexilla Regis*)

50. Aspiciebam ergo in visione noctis, et ecce cum nubibus caeli quasi filius hominis veniebat, et usque ad antiquum dierum pervenit: et in conspectu ejus obtulerunt eum. Et dedit ei potestatem, et honorem, et regnum: et omnes populi, tribus, et linguae ipsi servient: potestas ejus, potestas aeterna, quae non auferetur: et regnum ejus, quod non corrumpetur. (Dan.7:13-14)

*corrumpo, corrumpere, corrupi, corruptus - to corrupt, spoil

51. Et ecce vox de nube, dicens: Hic est Filius meus dilectus, in quo mihi bene complacui: ipsum audite. Et audientes discipuli, ceciderunt in faciem suam et timuerunt valde. Et accessit Jesus et tetigit eos, dixitque eos Surgite, et nolite timere. Levantes autem oculos suos, neminem viderunt nisi solum Jesum. Et descendentibus illis de monte, praecepit eis Jesus, dicens: Nemini dixeritis visionem, donec Filius hominis a mortuis resurgat. (Mt.17:5-9)

*accedo, accedere, accessi, accessus - to approach, come up to

52. Memorare, O piissima Virgo Maria, non esse auditum a saeculo, quemquam ad tua currentem praesidia, tua implorantem auxilia, tua petentem suffragia, esse derelictum. Ego tali animatus confidentia, ad te, Virgo Virginum, Mater, curro, ad te venio, coram te gemens peccator assisto. Noli, Mater Verbi, verba mea despicere; sed audi propitia et exaudi. Amen. (Catholic Prayer)

memorare - remember (imperative)
suffragium - judgment, approval
derelinquo, derelinquere, dereliqui, derelictus - to abandon
animo, animare, animavi, animatus - to inspire, move to action
assisto, assitere, astiti - to stand, take a stand

Chapter Twenty-seven

1. Et intellexi quod omnium operum Dei nullam possit homo invenire rationem eorum quae fiunt sub sole, et quanto plus laboraverit ad quaerendum, tanto minus inveniat. (Ecc.8:17)

2. Illum oportet crescere, me autem minui. (Jn.3:30)

3. Beatius est magis dare quam accipere. (Acts.20:35)

4. Et dixit mihi: Haec verba fidelissima sunt, et vera. Et Dominus Deus spirituum prophetarum misit angelum suum ostendere servis suis quae oportet fieri cito. Et ecce venio velociter. Beatus, qui custodit verba prophetiae libri hujus. (Rev.22:6-7)

5. Diligo te, o Bonitas infinita, amo te plus quam me; et quia amo te, dono tibi corpus meum, animam meam, ac totam voluntatem meam. (Alphonsus Liguori)

6. Fac ut magis ac magis tuam bonitatem et amorem, qui tibi debetur, et caritatem, qua me dilexisti, semper agnoscam. (Alphonsus Liguori)

7. Credo Domine, sed credam firmius; spero, sed sperem securius; amo, sed amem ardentius; doleo, sed doleam vehementius. (Clement XI)

8. Aperite plene portas Christo. (John Paul the Great)

9. Certe adveniente die judicii, non quaeretur a nobis quid legimus, sed quid fecimus; nec quam bene diximus, sed quam religiose viximus. (a Kempis)

10. Dignare, Domine manere mecum, ego volo libenter esse tecum. Hoc est totum desiderium meum, ut cor meum tibi sit unitum. (a Kempis)

*dignare - deign (imperative)

11. Omnis homo naturaliter scire desiderat. (a Kempis)

12. Qui vero saepius orare voluerit, uberiorem inveniet misericordiam Christi. (Macarius of Alexandria)

uber, uberis - fruitful, rich

13. Similiter quoque omnes oportet diligere fratres, cum quibus etiam te confidis videre gloriam Christi. (Macarius of Alexandria)

14. Conjugalis amor et fidelis et exclusorius est, usque ad vitae extremum. (Paul VI)

exclusorius - most exclusive

15. Minuit praesentia famam. (Claudian)

16. Vis recte vivere? Quis non? (Horace)

17. Qui timide rogat, docet negare. (Seneca)

18. Caritate fortiter et suaviter (episcopal motto)

19. Credam firmius (episcopal motto)

20. Fideliter praedicare evangelium Christi (episcopal motto)

21. Humiliter in lumine vultus tui (episcopal motto)

22. Bis dat, qui cito dat. (Latin proverb)

*bis - twice

23. Qui immoderate omnia cupiunt, saepe in totum frustrantur. (Latin Proverb)

24. Amo te, o Jesu, mi Amor, magis quam meipsum, et ex intimo corde paenitet me quod tibi displicui. Ne sinas me iterum a te separari. Da mihi perpetuum amorem tui, et dein fac de me quidquid tibi placuerit. (Alphonsus Liguori, *Way of the Cross*)

*meipsum - myself (me + ipsum)
*displiceo, displicere, displicui, displicuitus - to displease (+dat.)

25. Me de manu hostium potenter defende. (*Little Office of the Immaculate Conception*)

26. Adoro te devote, latens Deitas, quae sub his figuris vere latitas; tibi se cor meum totum subjicit, quia te contemplans totum deficit. (Aquinas, *Adoro Te Devote*)

*latito, latitare, latitavi - to lurk

27. O memoriale mortis Domini! Panis vivus, vitam praestans homini! Praesta meae menti de te vivere, et te illi semper dulce sapere. (Aquinas, *Adoro Te Devote*)

*sapio, sapere, sapivi - to taste

28. Nil canitur suavius, nil auditur jucundius, nil cogitatur dulcius quam Jesus Dei Filius. (Bernard, *Jesu Dulcis Memoria*)

29. Nocte surgentes vigilemus omnes, semper in psalmis meditemur atque viribus totis Domino canamus dulciter hymnos. (Gregory the Great, *Nocte Surgentes Vigilemus*)

30. O certe necessarium Adae peccatum, quod Christi morte deletum est. O felix culpa, quae talem ac tantum meruit habere Redemptorem. O vere beata nox, quae sola meruit scire tempus et horam in qua Christus ab inferis resurrexit. Haec nox est, de qua scriptum est: Et nox sicut dies illuminabitur. (Exsultet)

31. Ubi caritas et amor, Deus ibi est. Congregavit nos in unum Christi amor. Exsultemus, et in ipso jucundemur. Timeamus, et amemus Deum vivum. Et ex corde diligamus nos sincero. Simul ergo cum in unum congregamur: Ne nos mente dividamur... Et in medio nostri sit Christus Deus. Simul quoque cum beatis videamus, glorianter vultum tuum, Christe Deus: Gaudium quod est immensum, atque probum, saecula per infinita saeculorum. Amen. (Holy Thursday Antiphon)

sincero - sincerely
probus - righteous

Chapter Twenty-eight

1. Si dormiero, dicam: Quando consurgam? (Job.7:4)

2. Peccavi; quid faciam tibi, o custos hominum? Cur non tollis peccatum meum? (Job.7:20, 21)

3. Beati qui esuriunt et sitiunt justitiam: quoniam ipsi saturabuntur. (Mt.5:6)

4. Ego autem dico vobis: diligite inimicos vestros, benefacite his qui oderunt vos. (Mt.5:44)

5. Esurientes implevit bonis. (Lk.1:53)

6. Ignem veni mittere in terram et quid volo si accendatur. (Lk.12:49)

7. Ego sum panis vivus, qui de caelo descendi. Si quis manducaverit ex hoc pane, vivet in aeternum: et panis quem ego dabo, caro mea est pro mundi vita. (Jn.6:51-52)

8. Qui amat animam suam, perdet eam; et qui odit animam suam in hoc mundo, in vitam aeternam custodit eam. (Jn.12:25)

9. Respondit Jesus, et dixit ei: Si quis diligit me, sermonem meum servabit, et Pater meus diliget eum, et ad eum veniemus. (Jn.14:23)

10. Si Deus pro nobis, quis contra nos? (Rom.8:31)

11. Deum nemo vidit umquam. Si diligamus invicem, Deus in nobis manet, et caritas ejus in nobis perfecta est. In hoc cognoscimus quoniam in eo manemus, et ipse in nobis: quoniam de Spiritu suo dedit nobis. (1Jn.4:12-13)

12. Cum dilectione hominum et odio vitiorum. (Augustine)

13. Quid est ergo tempus? Si nemo ex me quaerat, scio; si quaerenti explicare velim, nescio. (Augustine)

14. Si sapientia Deus est, verus philosophus est amator Dei. (Augustine)

15. Si vis amari, ama. (Augustine)

16. Conari debemus per speculum videre Deum. (Bonaventure)

*conari - to try

17. Scriptura sacra mentis oculis quasi quoddam speculum opponitur, ut interna nostra facies in ipsa videatur. Ibi etenim foeda, ibi pulchra nostra cognoscimus. (Gregory the Great)

*etenim - as a matter of fact
foedus - vile

18. Haec est altissima et utilissima lectio. (a Kempis about the Bible)

19. Cum odio sui coepit veritas. (Tertullian)

20. Si vis me flere, dolendum est primum ipsi tibi. (Horace)

21. Parcere personis, dicere de vitiis. (Martial)

22. Fit culpa si iterum cecideris. (Publilius Syrus)

23. Veritas odit moras. (Seneca)

24. Si vales bene est, ego valeo. (beginning of Roman letters)

25. Verbum caro, panem verum, verbo carnem efficit: fitque sanguis Christi merum, et si sensus deficit, ad firmandum cor sincerum, sola fides sufficit. (Aquinas, *Pange Lingua*)

26. Somno si dantur oculi, cor semper ad te vigilet; tuaque dextra protegas, fideles qui te diligunt. (*Christe qui Splendor et Dies*)

27. Quis est homo qui non fleret, Christi matrem si videret, in tanto supplicio? Quis non posset contristari, piam matrem contemplari, dolentem cum filio? (*Stabat Mater Dolorosa*)

supplicium - suffering
contristo, contristare, contristavi, contristatus - to sadden
contemplari - to contemplate

28. Quisquam est, qui non gauderet, Christi matrem si videret in tanto solatio? (*Stabat Mater Speciosa*)

solatium - comfort, solace

29. Si autem quaeras, quomodo haec fiant, interroga gratiam, non doctrinam; desiderium, non intellectum; gemitum orationis, non studium lectionis; sponsum, non magistrum; Deum non hominem: caliginem non claritatem; non lucem, sed ignem. (Bonaventure describing the journey to God)

30. O pura et immaculata, eadem benedicta Virgo, magni Filii tui universorum Domini Mater inculpata, integra et sacrosanctissima, desperantium atque reorum spes, te collaudamus. Tibi ut gratia plenissimae benedicimus, quae Christum genuisti Deum et Hominem: omnes coram te prosternimur: omnes te invocamus et auxilium tuum imploramus. (Catholic Prayer)

*prosterno, prosternere, prostravi, prostratus - to prostrate

Chapter Twenty-nine

1. Feceruntque filii Levi juxta sermonem Moysi, cecideruntque in die illa quasi viginti tria millia hominum. (Ex.32:28)

2. Dormivit igitur David cum patribus suis, et sepultus est in civitate David. Dies autem quibus regnavit David super Israel, quadraginta anni sunt: in Hebron regnavit septem annis; in Jerusalem, triginta tribus. (1Kgs.2:10-11)

3. Dies autem quos regnavit Salomon in Jerusalem super omnem Israel, quadraginta anni sunt. (1Kgs.11:42)

4. In anno ergo vigesimo Jeroboam regis Israel regnavit Asa rex Juda, et quadraginta et uno anno regnavit in Jerusalem. Nomen matris ejus Maacha filia Abessalom. (1Kgs.15:9-10)

5. Anno tertio Asa regis Juda, regnavit Baasa filius Ahiae super omnem Israel in Thersa, viginti quatuor annis. (1Kgs.15:33)

6. Anno vigesimo sexto Asa regis Juda, regnavit Ela filius Baasa super Israel in Thersa, duobus annis. (1Kgs.16:8)

7. Anno vigesimo septimo Asa regis Juda, regnavit Zambri septem diebus in Thersa. (1Kgs.16:15)

8. Achab vero filius Amri regnavit super Israel anno trigesimo octavo Asa regis Juda; et regnavit Achab filius Amri super Israel in Samaria viginti et duobus annis. (1Kgs.16:29)

9. Joram vero filius Achab regnavit super Israel in Samaria anno decimooctavo Josaphat regis Judae: regnavitque duodecim annis. (2Kgs.3:1)

10. Anno quinto Joram filii Achab regis Israel, et Josaphat regis Juda, regnavit Joram filius Josaphat rex Juda. Triginta duorum annorum erat cum regnare coepisset, et octo annis regnavit in Jerusalem. (2Kgs.8:16-17)

11. Anno duodecimo Joram filii Achab regis Israel regnavit Ochozias filius Joram regis Judae. Viginti duorum annorum erat Ochozias cum regnare coepisset, et uno anno regnavit in Jerusalem. (2Kgs.8:25-26)

12. Erant autem Achab septuaginta filii in Samaria. (2Kgs.10:1)

13. Anno septimo Jehu, regnavit Joas: et quadraginta annis regnavit in Jerusalem. Nomen matris ejus Sebia de Bersabee. (2Kgs.12:1)

14. Anno vigesimo tertio Joas filii Ochoziae regis Juda, regnavit Joachaz filius Jehu super Israel in Samaria decem et septem annis. (2Kgs.13:1)

15. Anno trigesimo septimo Joas regis Juda, regnavit Joas filius Joachaz super Israel in Samaria sedecim annis. (2Kgs.13:10)

16. In anno secundo Joas filii Joachaz regis Israel, regnavit Amasias filius Joas regis Juda. Viginti quinque annorum erat cum regnare coepisset: viginti autem et novem annis regnavit in Jerusalem. Nomen matris ejus Joadan de Jerusalem. (2Kgs.14:1-2)

17. Anno quintodecimo Amasiae filii Joas regis Juda, regnavit Jeroboam filius Joas regis Israel in Samaria, quadraginta et uno anno. (2Kgs.14:23)

18. Anno vigesimo septimo Jeroboam regis Israel, regnavit Azarias filius Amasiae regis Juda. Sedecim annorum erat cum regnare coepisset, et quinquaginta duobus annis regnavit in Jerusalem: nomen matris ejus Jechelia de Jerusalem. (2Kgs.15:1-2)

19. Anno trigesimo octavo Azariae regis Juda, regnavit Zacharias filius Jeroboam super Israel in Samaria sex mensibus. (2Kgs.15:8)

20. Sellum filius Jabes regnavit trigesimo novo anno Azariae regis Juda: regnavit autem uno mense in Samaria. (2Kgs.15:13)

21. Anno trigesimo nono Azariae regis Juda, regnavit Manahem filius Gadi super Israel decem annis in Samaria. (2Kgs.15:17)

*nonus - ninth

188

22. Anno quinquagesimo Azariae regis Juda, regnavit Phaceia filius Manahem super Israel in Samaria biennio. (2Kgs.15:23)

*biennio - two years (abl.)

23. Anno quinquagesimo secundo Azariae regis Juda, regnavit Phacee filius Romeliae super Israel in Samaria viginti annis. (2Kgs.15:27)

24. Anno secundo Phacee filii Romeliae regis Israel, regnavit Joatham filius Oziae regis Juda. Viginti quinque annorum erat cum regnare coepisset, et sedecim annis regnavit in Jerusalem: nomen matris ejus Jerusa filia Sadoc. (2Kgs.15:32-33)

25. Anno decimoseptimo Phacee filii Romeliae, regnavit Achaz filius Joatham regis Juda. Viginti annorum erat Achaz cum regnare coepisset, et sedecim annis regnavit in Jerusalem. (2Kgs.16:1-2)

26. Anno duodecimo Achaz regis Juda, regnavit Osee filius Ela in Samaria super Israel novem annis. (2Kgs.17:1)

27. Anno tertio Osee filii Ela regis Israel, regnavit Ezechias filius Achaz regis Juda. Viginti quinque annorum erat cum regnare coepisset, et viginti novem annis regnavit in Jerusalem: nomen matris ejus Abi filia Zachariae. (2Kgs.18:1-2)

28. Duodecim annorum erat Manasses cum regnare coepisset, et quinquaginta quinque annis regnavit in Jerusalem: nomen matris ejus Haphsiba. (2Kgs.21:1)

29. Octo annorum erat Josias cum regnare coepisset: triginta et uno anno regnavit in Jerusalem: nomen matris ejus Idida filia Hadaja de Besecath. (2Kgs.22:1)

30. Viginti trium annorum erat Joachaz cum regnare coepisset, et tribus mensibus regnavit in Jerusalem: nomen matris ejus Amital filia Jeremiae de Lobna. (2Kgs.23:31)

31. Viginti quinque annorum erat Joakim cum regnare coepisset, et undecim annis regnavit in Jerusalem: nomen matris ejus Zebida filia Phadaja de Ruma. (2Kgs.23:36)

32. Decem et octo annorum erat Joachin cum regnare coepisset, et tribus mensibus regnavit in Jerusalem: nomen matris ejus Nohesta filia Elnathan de Jerusalem. (2Kgs.24:8)

33. Vox dilecti mei! Ecce iste venit! (SS.2:8)

34. Dilectus meus mihi, et ego illi. (SS.2:16)

35. Quam pulchra es, amica mea; quam pulchra es! (SS.4:1)

36. Qualis est dilectus tuus ex dilecto, o pulcherrima mulierum? Qualis est dilectus tuus ex dilecto, quia sic adjurasti nos? Dilectus meus candidus et rubicundus, electus ex millibus. (SS.5:9-10)

candidus et rubicundus - radiant and rugged

37. Sexaginta sunt reginae, et octoginta concubinae, et adolescentularum non est numerus. Una est columba mea, perfecta mea, una est matris suae, electa genetrici suae. Viderunt eam filiae, et beatissimam praedicaverunt, reginae et concubinae, et laudaverunt eam. (SS.6:7-8)

38. Quam pulchra es, et quam decora, carissima! (SS.7:6)

39. Pone me ut signaculum super cor tuum, ut signaculum super brachium tuum, quia fortis est ut mors dilectio. (SS.8:6)

40. Aspiciebam donec throni positi sunt, et antiquus dierum sedit… Millia millium ministrabant ei. (Dan.7:9-10)

41. Omnes itaque generationes ab Abraham usque ad David, generationes quatuordecim: et a David usque ad transmigrationem Babylonis, generationes quatuordecim: et a transmigratione Babylonis usque ad Christum, generationes quatuordecim. (Mt.1:17)

42. Propter hoc relinquet homo patrem suum et matrem, et adhaerebit ad uxorem suam: et erunt duo in carne una. Itaque jam non sunt duo, sed una caro. Quod ergo Deus conjunxit, homo non separet. (Mk.10:7-9)

43. Multi autem erunt primi novissimi, et novissimi primi. (Mk.10:31)

44. Quicumque voluerit fieri major, erit vester minister: et quicumque voluerit in vobis primus esse, erit omnium servus. (Mk.10:43-44)

45. Et vidi: et ecce Agnus stabat supra montem Sion, et cum eo centum quadraginta quatuor millia. (Rev.14:1)

46. Et vixerunt, et regnaverunt cum Christo mille annis. (Rev.20:4)

47. Ego sum alpha et omega, primus et novissimus, principium et finis. (Rev.22:13)

48. Nolite timere: quinta enim die veniet ad vos Dominus noster. (Advent Antiphon)

49. In principio primum principium, a quo cunctae illuminationes descendunt tanquam a Patre luminum, a quo est omne datum optimum et omne donum perfectum. (beginning of Bonaventure's *Journey of the Mind into God*)

192

50. O eterne Deus, nunc tibi placeat, ut in amore illo ardeas, ut membra illa simus quae fecisti in eodem amore, cum Filium tuum genuisti in prima aurora ante omnem creaturam: et inspice necessitatem hanc. (Hildegard)

51. Non possunt primi esse omnes omni in tempore. (Laberius)

52. Cur non mitto meos tibi Pontiliane libellos? Ne mihi tu mittas Pontiliane tuos. (Martial)

53. Primus in orbe deos fecit timor. (Petronius)

54. Christus primus (episcopal motto)

55. Fides, spes, caritas, tria haec (episcopal motto)

56. Quaerite prime regnum Dei. (motto of Newfoundland)

57. Sumit unus, sumunt mille: quantum isti, tantum ille, nec sumptus consumitur. (Aquinas, *Lauda Sion*)

58. In supremae nocte coenae, recumbens cum fratribus, observata lege plene, cibis in legalibus, cibum turbae duodenae se dat suis manibus. (Aquinas, *Pange Lingua*)

recumbo, recumbere, recubui - to recline
turba - crowd

59. Sit laus Deo Patri, summo Christo decus, Spiritui Sancto, tribus honor unus. (*Ave Maris Stella*)

60. Duo Seraphim clamabant alter ad alterum: Sanctus, Sanctus, Sanctus Dominus Deus Sabaoth. Plena est omnis terra gloria ejus. Tres sunt qui testimonium dant in caelo: Pater, et Verbum, et Spiritus Sanctus: hi tres unum sunt. Sanctus, Sanctus, Sanctus Dominus Deus Sabaoth. Plena est omnis terra gloria ejus. (*Duo Seraphim*)

61. Qui est imago Dei invisibilis, primogenitus omnis creaturae: quoniam in ipso condita sunt universa in caelis, et in terra, visibilia, et invisibilia... omnia per ipsum et in ipso creata sunt: et ipse est ante omnes, et omnia in ipso constant. Et ipse est caput corporis Ecclesiae, qui est principium, primogenitus ex mortuis: ut sit in omnibus ipse primatum tenens. (Col.1:15-18)

primatus - primacy (4)

62. Qui venerunt cum Zorobabel, Josue, Nehemia, Saraia, Rahelaia, Mardochai, Belsan, Mesphar, Beguai, Rehum, Baana. Numerus virorum populi Israel: filii Pharos duo millia centum septuaginta duo. Filii Sephatia, trecenti septuaginta duo. Filii Area, septingenti septuaginta quinque. Filii Phahath Moab, filiorum Josue, Joab, duo millia octingenti duodecim. Filii Aelam, mille ducenti quinquaginta quatuor. Filii Zethua, nongenti quadraginta quinque. Filii Zachai, septingenti sexaginta. Filii Bani, sexcenti quadraginta duo. Filii Bebai, sexcenti viginti tres. Filii Azgad, mille ducenti viginti duo. Filii Adonicam, sexcenti sexaginta sex. Filii Beguai, duo millia quinquaginta sex. Filii Adin, quadringenti quinquaginta quatuor. Filii Ather, qui erant ex Ezechia, nonaginta octo. Filii Besai, trecenti viginti tres. Filii Jora, centum duodecim. Filii Hasum, ducenti viginti tres. Filii Gebbar, nonaginta quinque. Filii Bethlehem, centum viginti tres. Viri Netupha, quinquaginta sex. Viri Anathoth, centum viginti octo. Filii Azmaveth, quadraginta duo. Filii Cariathiarim, Cephira et Beroth, septingenti quadraginta tres. Filii Rama et Gabaa, sexcenti viginti unus. Viri Machmas, centum viginti duo. Viri Bethel et Hai, ducenti viginti tres. Filii Nebo, quinquaginta duo. Filii Megbis, centum quinquaginta sex. Filii Aelam alterius, mille ducenti quinquaginta quatuor. Filii Harim, trecenti viginti. Filii Lod Hadid, et Ono, septingenti viginti quinque. Filii Jericho, trecenti quadraginta quinque. Filii Senaa, tria millia sexcenti triginta. Sacerdotes: filii Jadaia in domo Josue, nongenti septuaginta tres. Filii Emmer, mille quinquaginta duo. Filii Pheshur, mille ducenti quadraginta septem. Filii Harim, mille decem et septem. Levitae: filii Josue et Cedmihel filiorum Odoviae, septuaginta quatuor. Cantores: filii Asaph, centum viginti octo. (Ezr.2:2-41)

Chapter Thirty

1. Dixitque Cain ad Abel fratrem suum: Egrediamur foras. (Gen.4:8)

2. Nec loqueris contra proximum tuum falsum testimonium. (Dt.5:20)

3. Dominum Deum vestrum sequimini, et ipsum timete, et mandata illius custodite, et audite vocem ejus. (Dt.13:4)

4. Benedicat tibi Dominus, et custodiat te. Ostendat Dominus faciem suam tibi, et misereatur tui. (Num.6:24-25)

5. Laetetur mons Sion, et exsultent filiae Judae, propter judicia tua, Domine. (Ps.47:12)

6. Confitebor tibi, Domine, in toto corde meo. (Ps.110:1)

7. Propter fratres meos et proximos meos loquebar pacem de te. (Ps.121:8)

8. Confitemini Domino quoniam bonus, quoniam in aeternum misericordia ejus. Confitemini Deo deorum, quoniam in aeternum misericordia ejus. Confitemini Domino dominorum, quoniam in aeternum misericordia ejus. (Ps.135:1-3)

9. Dulcis est somnus operanti. (Ecc.5:12)

10. Viventes enim sciunt se esse morituros. (Ecc.9:5)

11. Egredimini et videte, filiae Sion, regem Salomonem in diademate quo coronavit illum mater sua in die desponsationis illius, et in die laetitiae cordis ejus. (SS.3:11)

*diadema, diadematis - crown, diadem (n)
desponsatio, desponsationis - espousals, marriage, wedding (f)

12. Quae est ista quae progreditur quasi aurora consurgens, pulchra ut luna, electa ut sol, terribilis ut castrorum acies ordinata? (SS.6:9)

*castrorum acies ordinata - an army drawn up for battle

13. Aperui os meum, et locutus sum. (Sir.51:33)

14. Antequam loquaris, disce. (Sir.18:19)

15. Lauda, filia Sion; jubila, Israel: laetare, et exsulta in omni corde, filia Jerusalem. (Zeph.3:14)

16. Dominus Deus tuus in medio tui fortis, ipse salvabit: gaudebit super te in laetitia, silebit in dilectione sua, exsultabit super te in laude. (Zeph.3:17)

17. Beati misericordes: quoniam ipsi misericordiam consequentur. (Mt.5:7)

18. Beati qui persecutionem patiuntur propter justitiam: quoniam ipsorum est regnum caelorum. (Mt.5:10)

19. Ex abundantia enim cordis os loquitur. (Mt.12:34)

20. Ecce nos dimisimus omnia, et secuti sumus te. (Mk.10:28)

21. Ego sum lux mundi; qui sequitur me, non ambulat in tenebris sed habebit lumen vitae. (Jn.8:12)

22. Maria ergo, cum venisset ubi erat Jesus, videns eum, cecidit ad pedes ejus, et dicit ei: Domine, si fuisses hic, non esset mortuus frater meus. (Jn.11:32)

23. Si quis mihi ministrat, me sequatur, et ubi sum ego, illic et minister meus erit. (Jn.12:26)

*illic - there
24. Haec locutus sum vobis: ut gaudium meum in vobis sit, et gaudium vestrum impleatur. (Jn.15:11)

25. Haec locutus sum vobis, ut in me pacem habeatis. In mundo pressuram habebitis: sed confidite, ego vici mundum. (Jn.16:33)

26. Omnis lingua confiteatur, quia Dominus Jesus Christus in gloria est Dei Patris. (Phil.2:11)

27. Spera in Deo, quoniam adhuc confitebor illi: salutare vultus mei, et Deus meus. (at Mass, Ps.42:5)

28. Et plebs tua laetabitur in te. (at Mass)

29. Misereatur tui omnipotens Deus, et dimissis peccatis tuis, perducat te ad vitam aeternam. (at Mass)

30. Regina caeli, laetare, alleluia. Quia quem meruisti portare, alleluia, resurrexit, sicut dixit, alleluia. Gaude et laetare, Virgo Maria, alleluia, quia surrexit Dominus vere, alleluia. (Easter Antiphon)

31. Amore amoris tui, dicam tibi cum sancto Francisco, moriar, qui amore amoris mei dignatus es mori. (Alphonsus Liguori)

32. Loquere, Domine, quia audit servus tuus. O Jesu amantissime, tu venisti etiam hoc mane ad visitandam animam meam, ex intimo corde tibi gratias ago. (Alphonsus Liguori)

33. O Jesu mi, tu mortuus es pro me, utinam ego etiam mori possem pro te et morte mea efficere, ut omnes ament te. (Alphonsus Liguori)

34. Cor ad cor loquitur. (Augustine)

35. Roma locuta est; causa finita est. (Augustine)

36. Moriamur igitur et ingrediamur in caliginem. (Bonaventure)

37. Disce quasi semper victurus, vive quasi cras moriturus. (Edmund of Abingdon)

38. Dilexi justitiam et odi iniquitatem; propterea morior in exilio. (the last words of Gregory VII)

39. Spiritus Sanctus etiam te ut habitaculum suum intuebatur. (Hildegard)

40. Tu dedisti mihi verius cognoscere te, purius diligere te, sincerius credere in te, ardentius sequi te. (Hugo of St. Victor)

41. Unum agnosce, unum dilige, unum sequere, unum apprehende, unum posside. (Hugo of St. Victor)

42. 'Audiam quid loquatur in me Dominus meus'. Beata anima quae Dominum in se loquentem audit. (a Kempis)

43. Domine Deus meus, tu es omnia bona mea. Et quis ego sum, ut audeam ad te loqui? Ego sum pauperrimus servulus tuus. (a Kempis)

44. Omnis ratio et naturalis investigatio fidem sequi debet. (a Kempis)

45. Moriendum enim certe est. (Cicero)

46. Ante senectutem curavi ut bene viverem, in senectute ut bene moriar; bene autem mori est libenter mori. (Seneca)

senectus, senectutis - old age (f)

47. Vincit qui patitur. (Persius)

48. In verbis tuis meditabor (episcopal motto)

49. Semper progrediens. (motto of Aruba)

50. Ex opere operato (theological term about the Sacraments)

51. Ave, Imperator, morituri te salutant. (gladiatorial salute)

52. Tu vero, o mi Redemptor, quoniam pro me mortuus es, fac benigne ut amem te; te enim solum volo, nec extra te aliud quidpiam mihi opto. (Alphonsus Liguori, *Way of the Cross*)

quidpiam - anything

53. O sacrum Cor Jesu, salutis nostrae sitientissimum, revoca nos praevaricatores ad Cor, ut non moriamur in peccatis nostris. (*Little Office of the Sacred Heart of Jesus*)

praevaricator, praevaricatoris - sinner, apostate

54. O veritas, o caritas, o finis et felicitas, sperare fac et credere, amare fac et consequi. (*Aeterna Lux Divinitas*)

55. Dies venit, dies tua, per quam reflorent omnia; laetemur in hac ut tuae per hanc reducti gratiae. (Ambrose, *Jam Christe Sol Justitiae*)

56. Plagas, sicut Thomas, non intueor: Deum tamen meum te confiteor. Fac me tibi semper magis credere, in te spem habere, te diligere. (Aquinas, *Adoro Te Devote*)

*plaga - wound
57. Tantum ergo sacramentum veneremur. (Aquinas, *Pange Lingua*)

58. Vitam praesta puram, iter para tutum, ut videntes Jesum, semper collaetemur. (*Ave Maris Stella*)

59. Fac ut possim demonstrare, quam sit dulce te amare, tecum pati, tecum flere, tecum semper congaudere. (*De Amore Jesu*)

60. Pro peccatis suae gentis, vidit Jesum in tormentis... vidit suum dulcem natum, morientem desolatum, dum emisit spiritum. (*Stabat Mater Dolorosa*)

61. O quam laeta et beata fuit illa immaculata, mater Unigeniti! (*Stabat Mater Speciosa*)

62. Quando corpus morietur, fac, ut animae donetur tui nati gloria. (*Stabat Mater Speciosa*)

63. Domine Jesu, noverim me, noverim te, nec aliquid cupiam nisi te. Oderim me et amem te. Omnia agam propter te. Humiliem me, exaltem te. Nihil cogitem nisi te. Mortificem me et vivam in te. Quaecumque eveniant accipiam a te. Persequar me, sequar te, semperque optem sequi te. Fugiam me, confugiam ad te, ut merear defendi a te. Timeam mihi, timeam te, et sim inter electos a te… Aspice me, ut diligam te. Voca me, ut videam te, et in aeternum fruar te. (Augustine)

*fruor, frui, fructus - to enjoy, delight in

64. Tota pulchra es, Maria. Et macula originalis non est in te. Tu gloria Jerusalem. Tu laetitia Israel. Tu honorificentia populi nostri. Tu advocata peccatorum. O Maria, O Maria. Virgo prudentissima. Mater clementissima. Ora pro nobis. Intercede pro nobis. Ad Dominum Jesum Christum. (Catholic Prayer)

*macula - stain

65. Dixit ei Jesus: Ego sum resurrectio et vita: qui credit in me, etiam si mortuus fuerit, vivet: et omnis qui vivit et credit in me, non morietur in aeternum. Credis hoc? Ait illi: Utique Domine, ego credidi quia tu es Christus, Filius Dei vivi, qui in hunc mundum venisti. (Jn.11:25-27)

*utique - yes, certainly

66. Credo in Deum Patrem omnipotentem, Creatorem caeli et terrae. Et in Jesum Christum, Filium ejus unicum, Dominum nostrum, qui conceptus est de Spiritu Sancto, natus ex Maria Virgine, passus sub Pontio Pilato, crucifixus, mortuus, et sepultus, descendit ad inferos, tertia die resurrexit a mortuis, ascendit ad caelos, sedet ad dexteram Dei Patris omnipotentis, inde venturus est judicare vivos et mortuos. Credo in Spiritum Sanctum, sanctam Ecclesiam catholicam, sanctorum communionem, remissionem peccatorum, carnis resurrectionem, vitam aeternam. Amen. (Apostles' Creed)

67. Credo in unum Deum, Patrem omnipotentem, factorem caeli et terrae, visibilium omnium et invisibilium. Et in unum Dominum Jesum Christum, Filium Dei unigenitum, et ex Patre natum ante omnia saecula. Deum de Deo, Lumen de Lumine, Deum verum de Deo vero, genitum non factum, consubstantialem Patri; per quem omnia facta sunt. Qui propter nos homines et propter nostram salutem descendit de caelis. Et incarnatus est de Spiritu Sancto ex Maria Virgine, et homo factus est. Crucifixus etiam pro nobis sub Pontio Pilato, passus et sepultus est, et resurrexit tertia die, secundum Scripturas, et ascendit in caelum, sedet ad dexteram Patris. Et iterum venturus est cum gloria, judicare vivos et mortuos, cujus regni non erit finis. Et in Spiritum Sanctum, Dominum et vivificantem, qui ex Patre Filioque procedit. Qui cum Patre et Filio simul adoratur et conglorificatur: qui locutus est per prophetas. Et unam, sanctam, catholicam et apostolicam Ecclesiam. Confiteor unum baptisma in remissionem peccatorum. Et expecto resurrectionem mortuorum, et vitam venturi saeculi. (Nicene Creed)

68. Te Deum laudamus: te Dominum confitemur. Te aeternum Patrem omnis terra veneratur. Tibi omnes Angeli, tibi caeli et universae potestates, tibi Cherubim et Seraphim incessabili voce proclamant: Sanctus, Sanctus, Sanctus, Dominus Deus Sabaoth. Pleni sunt caeli et terra majestatis gloriae tuae. Te gloriosus Apostolorum chorus, te Prophetarum laudabilis numerus, te Martyrum candidatus laudat exercitus. Te per orbem terrarum sancta confitetur Ecclesia: Patrem immensae majestatis, Venerandum tuum verum et unicum Filium, sanctum quoque Paraclitum Spiritum. Tu Rex gloriae, Christe. Tu Patris sempiternus es Filius. Tu ad liberandum suscepturus hominem, non horruisti Virginis uterum. Tu, devicto mortis aculeo, aperuisti credentibus regna caelorum. Tu ad dexteram Dei sedes, in gloria Patris. Judex crederis esse venturus. Te ergo quaesumus, tuis famulis subveni, quos pretioso sanguine redemisti. Aeterna fac cum sanctis tuis in gloria numerari. (Te Deum)

*candidatus - white-robed
horreo, horrere, horrui, horruitus - to be horrified at
aculeus - sting
subvenio, subvenire, subveni, subventus - to assist (+dat.)

Chapter Thirty-one

1. Peccator videbit, et irascetur… desiderium peccatorum peribit. (Ps.111:10)

2. Mitte panem tuum super transeuntes aquas, quia post tempora multa invenies illum. (Ecc.11:1)

3. Et audivi vocem Domini dicentis: Quem mittam? et quis ibit nobis? Et dixi: Ecce ego, mitte me. (Isa.6:8)

4. Post haec autem designavit Dominus et alios septuaginta duos: et misit illos binos ante faciem suam in omnem civitatem et locum quo erat ipse venturus. (Lk.10:1)

*binus - in pairs

5. Respondit Jesus: Amen, amen dico tibi, nisi quis renatus fuerit ex aqua, et Spiritu Sancto, non potest introire in regnum Dei. (Jn.3:5)

6. Sic enim Deus dilexit mundum, ut Filium suum unigenitum daret: ut omnis qui credit in eum non pereat sed habeat vitam aeternam. (Jn.3:16)

7. Dixit ergo Jesus ad duodecim: Numquid et vos vultis abire? Respondit ergo ei Simon Petrus: Domine, ad quem ibimus? Verba vitae aeternae habes: et nos credidimus, et cognovimus quia tu es Christus Filius Dei. (Jn.6:68-70)

*numquid - surely not?

8. Sciens Jesus quia venit hora ejus ut transeat ex hoc mundo ad Patrem: cum dilexisset suos, qui erant in mundo, in finem dilexit eos. (Jn.13:1)

9. Sciens quia omnia dedit ei Pater in manus, et quia a Deo exivit, et ad Deum vadit...
   (Jn.13:3)

10. Cum ergo exisset, dixit Jesus: Nunc clarificatus est Filius hominis, et Deus clarificatus
    est in eo. Si Deus clarificatus est in eo, et Deus clarificabit eum in semetipso: et
    continuo clarificabit eum. (Jn.13:31-32)

    *continuo - at once, immediately

11. Et vidi caelum novum et terram novam. Primum enim caelum, et prima terra abiit, et
    mare jam non est. (Rev.21:1)

12. Et introibo ad altare Dei: ad Deum qui laetificat juventutem meam. (at Mass, Ps.42:4)

    *juventus, juventutis - youth (f)

13. Ite, missa est. (at Mass)

14. O Sapientia, quae ex ore Altissimi prodiisti, attingens a fine usque ad finem, fortiter
    suaviterque disponens omnia: veni ad docendum nos viam prudentiae. (Advent
    Antiphon)

    *attingens = ad + tangens

15. Parce Domine, parce populo tuo: ne in aeternum irascaris nobis. (Lent Antiphon; see
    Jl.2:17)

16. Homines transeunt. (a Kempis)

17. O quam cito transit gloria mundi! (a Kempis)

18. Pereant qui ante nos nostra dixerunt. (Aelius Donatus)

19. Loqui ignorabit qui tacere nesciet. (Ausonius)

20. Vox audita perit. (Horace)

21. Medio tutissimus ibis. (Ovid)

22. Tarde sed graviter vir sapiens irascitur. (Publilius Syrus)

23. Potest ex casa magnus vir exire. (Seneca)

   casa - small house
24. Quae fuit durum pati, meminisse dulce est. (Seneca)

25. Veritas numquam perit. (Seneca)

26. Graviora manent. (Virgil)

27. Euntes docete omnes gentes (episcopal motto)

28. Euntes evangelium praedicate (episcopal motto)

29. Surgite eamus (episcopal motto)

30. Fiat justitia et pereat mundus (motto of Ferdinand I of the Holy Roman Empire)

31. Ite ad Joseph (Catholic phrase)

32. Deridens alium, non inderisus abibit. (Latin Proverb)

33. Quod cito fit, cito perit. (Latin Proverb)

34. Pie Pelicane, Jesu Domine, me immundum munda tuo sanguine: cujus una stilla salvum facere totum mundum quit ab omni scelere. (Aquinas, *Adoro Te Devote*)

stilla - drop

35. Verbum, quod ante saecula e mente Patris prodiit, e Matris alvo Virginis, mortalis Infans nascitur. (Augustine Thomas Ricchini, *Caelestis Aulae Nuntius*)

alvus - womb (f)

36. O Deus ego amo te, nec amo te ut salves me, nec quod qui te non diligunt aeterno igne pereunt. (*O Deus Ego Amo Te*)

37. Ne irascaris Domine, ne ultra memineris iniquitatis: ecce civitas Sancti facta est deserta: Sion deserta facta est: Jerusalem desolata est: domus sanctificationis tuae et gloriae tuae, ubi laudaverunt te patres nostri. (*Rorate Caeli*)

ultra - further

38. Vexilla regis prodeunt: fulget crucis mysterium, quo carne carnis conditor, suspensus est patibulo. (Venantius Fortunatus, *Vexilla Regis*)

vexillum - banner, flag
patibulum - gibbet

39. Paulus Apostolus Jesu Christi per voluntatem Dei, et Timotheus frater: eis, qui sunt Colossis, sanctis, et fidelibus fratribus in Christo Jesu. Gratia vobis, et pax a Deo Patre nostro, et Domino Jesu Christo. Gratias agimus Deo, et Patri Domini nostri Jesu Christi semper pro vobis orantes: audientes fidem vestram in Christo Jesu, et dilectionem quam habetis in sanctos omnes propter spem. (Col.1:1-5)

40. Oremus. Deus, qui nobis sub Sacramento mirabili Passionis tuae memoriam reliquisti; tribue, quaesumus, ita nos Corporis et Sanguinis tui sacra mysteria venerari, ut redemptionis tuae fructum in nobis jugiter sentiamus: qui vivis et regnas in saecula saeculorum. Amen. (Benediction)

Chapter Thirty-two

1. A solis ortu usque ad occasum laudabile nomen Domini. (Ps.112:3)

    *occasus - setting

2. Utilior est sapientia cum divitiis, et magis prodest videntibus solem. (Ecc.7:12)

3. Beati qui lugent: quoniam ipsi consolabuntur. (Mt.5:5)

4. Et dicebat: Qui habet aures audiendi, audiat. (Mk.4:9)

5. O Radix Jesse, qui stas in signum populorum, super quem continebunt reges os suum, quem Gentes deprecabuntur: veni ad liberandum nos, jam noli tardare. (Advent Antiphon)

    *contineo, continere, continui, contentus - to restrain, contain

6. Inquirendo veritatem percipimus. (Abelard)

7. O Maria, Mater Dei, et mater mea, tu etiam deprecare Jesum pro me. (Alphonsus Liguori)

8. Festinamus ad Christum non currendo sed credendo. (Augustine)

9. Non dubia sed certa conscientia, Domine, amo te. Percussisti cor meum verbo tuo, et amavi te. (Augustine)

10. O Domine Jesu, adoro te a morte resurgentem et in caelum ascendentem, sedentemque ad dexteram Patris. Deprecor te, ut illuc te sequi et tibi praesentari merear. (Gregory the Great)

*illuc - (to) there, thither

11. O Domine Jesu, adoro te in Cruce pendentem, coronam spineam in capite portantem. Deprecor te, ut tua Crux liberet me ab Angelo percutiente. (Gregory the Great)

*spineus - thorny

12. O felix anima cujus corpus de terra ortum est. (Hildegard)

13. Sed scio, et veraciter ex toto corde meo credo, et ore confiteor, qui tu potes me facere dignum. (Jean de Fecamp)

14. Ausi sumus uti in hoc loco Danielis exemplo, non ignorantes, quoniam in hebraeo positum non est, sed quoniam in Ecclesiis tenetur. (Jerome)

15. Qui sequitur me non ambulat in tenebris dicit Dominus. Haec sunt verba Christi, quibus admonemur quatenus vitam ejus et mores imitemur, si volumus veraciter illuminari, et ab omni caecitate cordis liberari. Summum igitur studium nostrum, sit in vita Jesu meditari. (a Kempis)

*quatenus - how far

16. Precor te custos meus ut si fieri possit notum mihi facias finem meum. Et, cum de hoc corpore ductus fuero, non dimittas malignos spiritus terrere me. (Nicolas Salicetus)

17. Difficile est dictu, Quirites, quanto in odio simus. (Cicero)

18. Quaerunt quid optimum factu sit. (Cicero)

19. Natura beatis, omnibus esse dedit, si quis cognoverit uti. (Claudian)

20. Nihil dignum dictu (Livy)

21. Miserabile visu (Ovid)

22. Spectatum veniunt. (Ovid)

23. Nil est dictu facilius. (Terence)

24. Mirabile dictu (Virgil)

25. In serviendo consumor (episcopal motto)

26. Et cetera (commonly abbreviated as *etc.*)

27. Precamur sancte Domine, hac nocte nos custodias; sit nobis in te requies, quietas horas tribue. (*Christe qui Splendor et Dies*)

28. Te mane laudum carmine, te deprecamur vespere. (*Jam Sol Recedit Igneus*)

29. Eia mater fons amoris, me sentire vim doloris, fac ut tecum lugeam; fac ut ardeat cor meum, in amando Christum Deum, ut sibi complaceam. (*Stabat Mater Dolorosa*)

30. Stabat mater dolorosa, juxta crucem lacrimosa, dum pendebat filius; cuius animam gementem, contristatam et dolentem, pertransivit gladius. (*Stabat Mater Dolorosa*)

contristo, contristare, contristavi, contristatus - to sadden
31. Impleta sunt quae concinit, David fideli carmine, dicendo nationibus: regnavit a ligno Deus. (Venantius Fortunatus, *Vexilla Regis*)

concino, concinere, concinui - to sing together
32. Veni veni O Oriens! (*Veni Veni Emmanuel*)

33. Finem loquendi pariter omnes audiamus. Deum time, et mandata ejus observa: hoc est enim omnis homo, et cuncta quae fiunt adducet Deus in judicium pro omni errato, sive bonum, sive malum illud sit. (Ecc.12:13-14)

34. Te laudamus Domine omnipotens, qui sedes super Cherubim et Seraphim. Quem benedicunt Angeli, Archangeli; et laudant Prophetae et Apostoli. Te laudamus Domine orando, qui venisti peccata solvendo. Te deprecamur magnum Redemptorem, quem Pater misit ovium pastorem. Tu es Christus Dominus Salvator, qui de Maria Virgine es natus. *(Te Laudamus)*

ovis, ovis - sheep (f)

35. Deus meus, ex toto corde paenitet me omnium meorum peccatorum, eaque detestor, quia peccando, non solum poenas a te juste statutas promeritus sum, sed praesertim quia offendi te, summum bonum, ac dignum qui super omnia diligaris. Ideo firmiter propono, adjuvante gratia tua, de cetero me non peccaturum peccandique occasiones proximas fugiturum. Amen. (Act of Contrition)

statutus - established
praesertim - especially, particularly

Chapter Thirty-three

1. Esto vir. (1Kgs.2:2)

2. Veni, dilecte mi, egrediamur in agrum. (SS.7:11)

3. Beati mites: quoniam ipsi possidebunt terram. (Mt.5:4)

4. Estote ergo vos perfecti sicut et Pater vester caelestis perfectus est. (Mt.5:48)

5. Si fueris Romae, Romano vivito more; si fueris alibi, vivito sicut ibi. (Ambrose)

   *alibi - elsewhere

6. Crescentem sequitur cura pecuniam. (Horace)

7. Militat omnis amans. (Ovid)

8. Ut ameris, amabilis esto. (Ovid)

9. Nulla avaritia sine poena est. (Seneca)

10. Gratior et pulchro veniens in corpore virtus. (Virgil)

11. Esto fidelis usque ad mortem (episcopal motto)

12. Esto mater propitia (episcopal motto)

13. Esto vigilans (episcopal motto)

14. Esto vir fortis et labora sicut bonus miles Christi Jesu (episcopal motto)

15. Estote factores verbi (episcopal motto)

16. Esto perpetua (motto of Idaho)

17. Salus populi suprema lex esto (motto of Missouri)

18. Esto laborator et erit Deus auxiliator. (Catholic Phrase)

19. Veni, Redemptor gentium; ostende partum Virginis; miretur omne saeculum; talis decet partus Deum. (Ambrose, *Veni Redemptor Gentium*)

   partus - birth (4)
   decet - adorns
20. Solve vincla reis, profer lumen caecis, mala nostra pelle, bona cuncta posce. (*Ave Maris Stella*)

   vincla = vincula
21. Angelus fortis Gabriel! ut hostem pellat antiquum. (*Christe Sanctorum*)

22. Nox atra rerum contegit terrae colores omnium: nos confitentes poscimus te, juste judex cordium. (Gregory the Great, *Nox Atra Rerum*)

   ater - dark, dull black

23. Hostem repellas longius pacemque dones. (Rabanus Maurus, *Veni Creator Spiritus*)

24. Custodes hominum psallimus angelos, naturae fragili quos Pater addidit caelestis comites, insidiantibus ne succumberet hostibus. (Robert Bellarmine, *Custodes Hominum Psallimus*)

*caelestis = caelestes

25. Te lucis ante terminum, rerum creator poscimus, ut solita clementia, sis praesul ad custodiam. (*Te Lucis ante Terminum*)

26. Ecce angelus Domini apparuit in somnis Joseph, dicens: Surge, et accipe Puerum et Matrem ejus, et fuge in Aegyptum, et esto ibi usque dum dicam tibi; futurum est enim, ut Herodes quaerat Puerum ad perdendum Eum. (Mt 2:13)

27. Ave verum Corpus natum de Maria Virgine: vere passum, immolatum in cruce pro homine: cujus latus perforatum fluxit aqua et sanguine. Esto nobis praegustatum mortis in examine: O Jesu dulcis! O Jesu pie! O Jesu fili Mariae. (Innocent VI, *Ave Verum Corpus*)

*perforo, perforare, perforavi, perforatus - to pierce

28. Credo quod sis angelus sanctus, a Deo omnipotente ad custodiam mei deputatus. Propterea peto et, per illum qui te ad hoc ordinavit, humiliter imploro ut me miseram fragilem atque indignam semper et ubique in hac vita custodias, protegas a malis omnibus atque defendas, et cum Deus hinc animam meam migrare jusserit, nullam in eam potestatem daemonibus habere permittas, sed tu eam leniter a corpore suscipias, et in sinu Habrae suaviter usque perducas jubente ac juvante creatore ac salvatore Deo nostro, qui est benedictus in saecula saeculorum. Amen. (Aelfwine)

*ordino, ordinare, ordinavit, ordinatus - to ordain, appoint
hinc - from here
leniter - gently
sinus - cavity, bosom (4)
Habra - Abraham

Vocabulary

Chapter One

Salve - be well, hello
Vale - be healthy, goodbye
Dum - while
Et - and, also
-que - and (this word is a suffix. Example: *oroque* - and I pray. There is no difference in
     meaning between *-que* and *et*.)
Sed - but
Nihil/Nil - nothing
Nimis/Nimium - very much, too much, excessively
Non - not
Habeo, habere, habui, habitus - to have
Oro, orare, oravi, oratus - to pray
     Exoro, exorare, exoravi, exoratus - to plead, pray fervently to
Spero, sperare, speravi, speratus - to hope
Spiro, spirare, spiravi, spiratus - to breathe
Sto, stare, steti, status - to stand
     Obsto, obstare, obstiti, obstatus - to stand in the way
     Praesto, praestare, praestiti, praestitus - to stand in front, bestow
Video, videre, vidi, visus - to see
Volo, volare, volavi, volatus - to fly

Chapter Two

Ave - Hail!
Ad - towards (+acc.)
Per - through (+acc.)
Pro - for (+abl)
Amica - friend (f)
Aurora - dawn
Caeca - blind
Fama - fame
Fortuna - fortune
Gloria - glory
Gratia - grace, thanks
Papa - pope
Patria - homeland
Plena - full
Sapientia - wisdom
Vita - life
Taceo, tacere, tacui, tacitus - to refrain from speaking, be quiet

Chapter Three

In - in, on (+abl.), into, onto (+acc.)
Inter - between, among (+acc.)
Propter - on account of, because of (+acc.)
Sine - without (+abl.)
Sub - under (+abl.)
Deus - God
Dominus - lord
Filius - son
Liber - free
Magister - teacher
Magnus - great
Noster - our
Populus - people
Servus - slave, servant
Umbra - shadow
Me - me (acc.sg.)
Nobis - us (dat. or abl.)
Te - you (acc.sg.)
Semper - always
Sic - thus, just so, in this way
Sicut/Sicuti - like, as
Amo, amare, amavi, amatus - to love
Clamo, clamare, clamavi, clamatus - to call, shout
Do, dare, dedi, datus - to give
Regno, regnare, regnavi, regnatus - to reign

Chapter Four

Enim - for
A/Ab - from, by (+abl.)
De - down from, about (+abl.)
Super - over, above, on (+acc.)
Agnus - lamb
Armum - weapon (always plural)
Auxilium - help
Benedictus - blessed
Caelum/Coelum - sky, heaven (alternative nom.pl. *caeli*, acc.pl. *caelos*)
Dignus - worthy
Eum - him (acc.)
Evangelium - gospel
Excelsus - highest
Hora - hour

Meus - my
Mundus - world
Peccatum - sin
Regnum - kingdom
Sanctus - holy
Terra - earth, land
Tuus - your
Nunc - now
Valde - very
Est - is
Miserere - have mercy! (+dat. or +gen.)
Dono, donare, donavi, donatus - to grant
Festino, festinare, festinavi, festinatus - to hurry
Laudo, laudare, laudavi, laudatus - to praise

Chapter Five

Quia - because, that
Anima - soul
Beatus - blessed
Bonus - good
Mandatum - command
Misericordia - mercy
Modus - moderation
Mora - delay
Multus - much
Novus - new
Periculum - danger
Saeculum - a very long time, an age, forever
Verbum - word
Vester - your (pl.)
Vir - man
Ambulo, ambulare, ambulavi, ambulatus - to walk
Canto, cantare, cantavi, cantatus - to sing
Debeo, debere, debui, debitus - to ought, owe
Gaudeo, gaudere, gavisus - to rejoice
Maneo, manere, mansi, mansus - to remain
Servo, servare, servavi, servatus - to keep, preserve
Teneo, tenere, tenui, tentus - to hold
Timeo, timere, timui - to fear

Chapter Six

Ecce - look!
Supra - over, above (+acc.)
Amor, amoris - love (m)
Caritas, caritatis - love, charity (f)
Civitas, civitatis - state, city (f)
Cor, cordis - heart (n)
Crux, crucis - cross (f)
Homo, hominis - human (m)
Initium - beginning
Laus, laudis - praise (f)
Lex, legis - law (f)
Lignum - wood
Lumen, luminis - light, lamp (n)
Lux, lucis - light (f)
Mater, matris - mother (f)
Mos, moris - custom (m)
Nomen, nominis - name (n)
Opus, operis - work, deed (n)
Pater, patris - father (m)
Paucus - few
Pax, pacis - peace (f)
Princeps, principis - prince (m)
Puer - boy
Rex, regis - king (m)
Sermo, sermonis - speech, word (m)
Sol, solis - sun (m)
Tempus, temporis - time (n)
Timor, timoris - fear (m)
Vanus - vain, pointless
Veritas, veritatis - truth (f)
Via - way
Virtus, virtutis - virtue, courage (f)
Voluntas, voluntatis - will, free will (f)
Simul - at the same time
Sileo, silere, silui - to be silent

Chapter Seven

Autem - however
Ideo - therefore
E/Ex - out of (+abl)
Ars, artis - art (f)

Auris, auris - ear (f)

Brevis, brevis - short

Culpa - fault

Decorus - adorned, honored

Decus, decoris (n) / Decor, decoris (m) - honor, glory

Dulcis, dulcis - sweet

Felix, felicis - happy

Finis, finis - end (m)

Flumen, fluminis - river (n)

Fortis, fortis - strong

Gens, gentis - tribe, nation (f)

Mare, maris - sea (n)

Mel, mellis - honey (n)

Mirus - marvelous

Mons, montis - mountain (m)

Oculus - eye

Omnis, omnis - every, all

Os, oris - mouth (n)

Pauper, pauperis - poor

Potens, potentis - powerful

Pulcher - beautiful

Radix, radicis - root (f)

Testis, testis - witness (m/f)

Ibi - there

Ubi - where

Usque - all the way

Vero - truly

Juvo, juvare, juvi, jutus - to help

       Adjuvo, adjuvare, adjuvi, adjutus - to help

Rideo, ridere, risi, risus - to laugh, smile

Chapter Eight

Quoniam - because, that

Cum - with (+abl.)

Secundum - according to (+acc.)

Aqua - water

Caelestis, caelestis - heavenly

Deprecatio, deprecationis - prayer (f)

Dextra/Dextera - right hand

Ira - anger

Judicium - judgment

Luna - moon

Mors, mortis - death (f)

Pretiosus - precious
Sacerdos, sacerdotis - priest (m)
Stella - star
Verus - true
Vivus - alive
Ago, agere, egi, actus - to do, give
Benedico, benedicere, benedixi, benedictus - to bless (+dat.) (imperative singular: *benedic*)
Credo, credere, credidi, creditus - to believe (+dat.)
Diligo, diligere, dilexi, dilectus - to love
Dirigo, dirigere, direxi, directus - to guide, direct
Pono, ponere, posui, positus - to put
      Dispono, disponere, disposui, dispositus - to arrange
      Oppono, opponere, opposui, oppositus - to set
Sedeo, sedere, sedi, sessus - to sit
Tollo, tollere, sustuli, sublatus - to take away, take up
Vinco, vincere, vici, victus - to conquer
Vivo, vivere, vixi, victus - to live

Chapter Nine

Ac/At/Atque - and, but
Aut - either, or
Almus - kind
Custos, custodis - guard (m)
Frater, fratris - brother (m)
Orbis, orbis - world, globe (m)
Porta - gate
Proelium/Praelium - battle
Regina - queen
Sanguis, sanguinis - blood (m)
Somnus - sleep
Vox, vocis - voice (f)
Etiam - also, even
Interea - meanwhile
Tam - so, so much
Aperio, aperire, aperui, apertus - to open
Audio, audire, audivi, auditus - to hear, listen to
      Exaudio, exaudire, exaudivi, exauditus - to hear (clearly), listen to
Cano, canere, cecini, cantus - to sing about
Custodio, custodire, custodivi, custoditus - to guard
Dormio, dormire, dormivi/dormii, dormitus - to sleep
Facio, facere, feci, factus - to do, make (imperative singular: *fac)*
Fio, fieri, factus - to become, happen
Fugio, fugere, fugi, fugitus - to flee

Suscipio, suscipere, suscepi, susceptus - to receive, support
Venio, venire, veni, ventus - to come
> Invenio, invenire, inveni, inventus - to find

Chapter Ten

Ergo - therefore
Etsi - even if
Tamen - nevertheless
Apud - at (+acc.)
Corpus, corporis - body (n)
Ecclesia - Church
Imago, imaginis - image (f)
Mens, mentis - mind (f)
Principium - beginning
Sanus - healthy
Suavis, suavis - sweet, pleasant
Bene - well
Qualis… talis - as… so, what sort… thus
Tamquam/Tanquam - just as, as much as
Cogito, cogitare, cogitavi, cogitatus - to think
Dico, dicere, dixi, dictus - to say (imperative singular: *dic*)
Disco, discere, didici, discitus - to learn
Doceo, docere, docui, doctus - to teach
Fallo, fallere, fefelli, falsus - to deceive
Monstro, monstrare, monstravi, monstratus - to show
Possum, posse, potui - to be able
Possideo, possidere, possedi, possessus - to possess
Sum, esse, fui, futus - to be
> Adsum, adesse, adfui, adfutus - to be present, become present
> Desum, deesse, defui, defutus - to be lacking
> Prosum prodesse, profui, profutus - to be beneficial, be useful
Vado, vadere, vasi - to go
Voco, vocare, vocavi, vocatus - to call

Chapter Eleven

Nec/Neque… nec/neque - neither… nor
Bellum - war
Castus - chaste, pure
Cunctus - all
Dux, ducis - leader (m)
Fons, fontis - fountain (m)
Judex, judicis - judge (m)

228

Medius - middle

Mortuus - dead

Poena - punishment

Quantus… tantus - how great… so great, how much... so much

Requies, requietis - rest (acc.sg: *requiem*) (f)

Nemo, neminis - no one

Quando - when

Cresco, crescere, crevi, cretus - to grow

Eligo, eligere, elegi, electus - to choose

Gemo, gemere, gemui, gemitus - to groan

Intelligo, intelligere, intellexi, intellectus - to understand

Intendo, intendere, intendi, intentus - to focus, intend

Moneo, monere, monui, monitus - to warn

Orno, ornare, ornavi, ornatus - to adorn

Paro, parare, paravi, paratus - to prepare

Servio, servire, servivi, servitus - to serve (+dat.)

Solvo, solvere, solvi, solutus - to free, release

Tango, tangere, tetigi, tactus - to touch

Chapter Twelve

Nisi - except, unless

Gaudium - joy

Gratis - freely

Ignis, ignis - fire (m)

Reus - guilty

Sapiens, sapientis - wise

Tenebra - shadow (almost always plural)

Ajo, ajere - to say (conjugates like 4th: i.e. *ajo, ais, ait, aimus, aitis, ajunt, etc.*) (often has past tense meaning in the Vulgate Bible)

Ardeo, ardere, arsi, arsus - to burn

Audeo, audere, ausus - to dare

Desidero, desiderare, desideravi, desideratus - to desire

Despero, desperare, desperavi, desperatus - to despair

Fulgeo, fulgere, fulsi - to gleam, glisten

Lego, legere, legi, lectus - to read

Nosco, noscere, novi, notus - to know

> Agnosco, agnoscere, agnovi, agnitus - to acknowledge, realize

> Cognosco, cognoscere, cognovi, cognitus - to know, recognize

Salvo, salvare, salvavi, salvatus - to save

Scio, scire, scivi, scitus - to know

Soleo, solere, solitus - to be in the habit of, used to

Surgo, surgere, surrexi, surrectus - to rise, arise

Chapter Thirteen

Igitur - therefore
Intra - within (+acc.)
Clarus - clear, renowned
Discipulus - student
Malus - bad
Ordo, ordinis - order (m)
Panis, panis - bread (m)
Supernus - upper, heavenly
Vere - truly
Efficio, efficere, effeci, effectus - to effect, make
Jungo, jungere, junxi, junctus - to join
Mitto, mittere, misi, missus - to send
      Dimitto, dimittere, dimisi, dimissus - to send away (+acc.), forgive (+dat.)
Nescio, nescire, nescivi, nescitus - to not know
Pasco, pascere, pavi, pastus - to shepherd
Quiesco, quiescere, quievi, quietus - to be still, rest
Rego, regere, rexi, rectus - to guide, rule

Chapter Fourteen

Extra - outside, beyond (+acc.)
Astrum - star
Certus - certain
Hostis, hostis - enemy (m)
Inimicus - enemy
Salus, salutis - salvation (f)
Signum - sign
Turris, turris - tower (f)
Foris/Foras - outside
Quomodo - how?
Accipio, accipere, accepi, acceptus - to accept, receive
Curro, currere, cucurri, cursus - to run
Cupio, cupere, cupivi, cupitus - to desire
Duco, ducere, duxi, ductus - to lead (imperative singular: *duc*)
Impleo, implere, implevi, impletus - to fill
Muto, mutare, mutavi, mutatus - to change
Nascor, nasci, natus - to be born (only passive)
Perdo, perdere, perdidi, perditus - to ruin, destroy, lose
Peto, petere, petivi/petii, petitus - to ask, seek
Pulso, pulsare, pulsavi, pulsatus - to knock
Quaero/quaeso, quaerere/quaesere, quaesivi, quaesitus - to seek
Sumo, sumere, sumpsi, sumptus - to take, receiv

Chapter Fifteen

Quod - because, that
Trans - across (+acc.)
Animus - spirit, soul
Canis, canis - dog (m/f)
Cibus - food
Donum - gift
Nox, noctis - night (f)
Ratio, rationis - reason (f)
Aliquis, aliquid - anyone, anything
Qui, quae, quod - who, which
Claudo, claudere, clausi, clausus - to close, shut
Fundo, fundare, fundavi, fundatus - to found, establish
Luceo, lucere, luxi - to shine
Rogo, rogare, rogavi, rogatus - to ask, ask for

Chapter Sixteen

Ante - before (+acc.)
Ancilla - maid-servant, slave-woman
Antiquus - ancient
Dilectio, dilectionis - love (f)
Flos, floris - flower (m)
Mulier, mulieris - woman (f)
Pectus, pectoris - chest (n)
Plebs, plebis - common people (f)
Pontus - sea
Hodie - today
Nusquam - nowhere
Quoque - also
Tunc - then
Unde - whence, from where
Gigno, gignere, genui, genitus - to beget, conceive, give birth to, create
Ostendo, ostendere, ostendi, ostentus - to show
Saluto, salutare, salutavi, salutatus - to greet, preserve, save
Spicio, spicere, spexi, spectus - to watch
    Aspicio, aspicere, aspexi, aspectus - to look at, watch
    Despicio, despicere, despexi, despectus - to despise, look down on

Chapter Seventeen

Aurum - gold
Caro, carnis - flesh (f)

Cena/Coena - dinner, supper
Liber - book
Sacer - holy, sacred
Soror, sororis - sister (f)
Vulnus, vulneris - wound (n)
Invicem - one another, mutually
Propterea - therefore
Bibo, bibere, bibi, bibitus - to drink
Cado, cadere, cecidi, casus - to fall
Condo, condere, condidi, conditus - to build, make, put together
Jacio, jacere, jeci, jactus - to throw
Fluo, fluere, fluxi, fluxus - to flow
Scribo, scribere, scripsi, scriptus - to write
Sitio, sitire, sitivi - to thirst

Chapter Eighteen

Brachium - arm
Clavis, clavis - key (f)
Conspectus - sight (4)
Cornu - horn (4) (n)
Corona - crown
Divitia - riches, wealth
Domus - home, house (2/4)
Exercitus - army (4)
Fructus - fruit (4)
Gustus - taste (4)
Janua - door
Leo, leonis - lion (m)
Lingua - tongue
Manus - hand (4) (f)
Ossum - bone
Spiritus - spirit (4)
Tribus - tribe (4) (f)
Vultus - face, facial expression (4)
Accendo, accendere, accendi, accensus - to kindle
Appareo, apparere, apparui, apparitus - to appear
Erigo, erigere, erexi, erectus - to raise
Fundo, fundere, fudi, fusus - to pour
Vincio, vincire, vinxi, vinctus - to chain, bind

Chapter Nineteen

Vel - or
Alius, alia, aliud - other, another
Alter - other, another
Dolor, doloris - suffering, sorrow (m)
Locus - place
Nullus - no, none
Praemium - reward
Solus - only, alone
Totus – all, whole
Ullus - any
Unus - one
Hic - this
Ille, illa, illud - that
Ipse - himself, the same (refers back to a previously mentioned noun or pronoun)
Iste - that, this
Semetipse - himself
      Temetipse - yourself
Solum - alone
Coepi, coepisse, coeptus - to have begun, began (only in perfect tenses)
Lateo, latere, latui - to be hidden
Porto, portare, portavi, portatus - to carry

Chapter Twenty

Eia - O!
Dies - day (m)
Facies - face
Fides - faith
Inferus - hell, underworld (usually plural)
Iter, itineris - journey (n)
Lacrima - tear
Latro, latronis - thief (m)
Mane - morning (n) (invariable)
Parvus - small
Primus - first
Res - thing
Salvus - saved
Spes - hope
Terminus - end
Tutus - safe
Vesper, vesperis - evening (m) (but sometimes declined as a 2m noun)
Hic - here

Numquam - never

Cesso, cessare, cessavi, cessatus - to cease

Fleo, flere, flevi, fletus - to weep, cry

Manduco, manducare, manducavi, manducatus - to chew, eat

Paeniteo/poeniteo, paenitere/poenitere, paenitui/poenitui - to repent (often used impersonally,
    e.g. *paenitet me* - I repent)

Tego, tegere, texi, tectus - to cover
    Protego, protegere, protexi, protectus - to protect

Verto, vertere, verti, versus - to turn

Chapter Twenty-one

Altus - high, tall, deep

Carus - dear

Silva - forest

Superus - upper

Vetus, veteris - old

Saepe - often

Delecto, delectare, delectavi, delectatus - to delight

Immolo, immolare, immolavi, immolatus - to sacrifice

Parco, parcere, peperci, parsus - to spare (+dat.)

Sentio, sentire, sensi, sensus - to sense

Chapter Twenty-two

Antequam - before

Donec - until

Contra - against (+acc.)

Insidia - snare

Mundus - clean

Munus, muneris - gift, service (n)

Sempiternus - eternal, everlasting

Ita - thus, so

Ut/Utinam - if only, would that

Pugno, pugnare, pugnavi, pugnatus - to fight

Chapter Twenty-three

Ut - in order that, so that, that, as

Coram - in the presence of, before (+acc.)

Famulus - servant

Pars, partis - part (f)

Propitius - favorable, kind

Ventus - wind

Vinculum - chain
Vinum - wine
Cur - why?
Nondum - not yet
Tantum - only
Deficio, deficere, defeci, defectus - to fail
Doleo, dolere, dolui, dolitus - to mourn, suffer
Misceo, miscere, miscui, mixtus - to mix
Praecipio, praecipere, praecepi, praeceptus - to order, command (+dat.)
Salio, salire, salui, saltus - to leap

Chapter Twenty-four

Latus, lateris - side (n)
Potus - drink (4)
Praesidium - protection
Proprius - one's own
Jam - now, already
Jubeo, jubere, jussi, jussus - to order
Lavo, lavare, lavi, lavatus - to wash
Mereo, merere, merui, meritus - to merit (has the same meaning in the passive)
Placeo, placere, placui, placitus - to be pleasing
Praedico, praedicare, praedicavi, praedicatus - to preach, proclaim
Trado, tradere, tradidi, traditus - to hand over
Tremo, tremere, tremui, tremitus - to tremble

Chapter Twenty-five

Nam - for
Caligo, caliginis - gloom, fog, darkness (f)
Hortus - garden
Jucundus - pleasant, delightful
Similis, similis - similar
Cras - tomorrow
Diu - for a long time
Iterum - again
Statim - immediately
Levo, levare, levavi, levatus - to lift
Terreo, terrere, terrui, territus - to terrify

Chapter Twenty-six

An - or, whether
Quasi - as, as if
Ara - altar
Membrum - limb, member
Nubes, nubis - cloud (f)
Petra - rock
Pontifex, pontificis - high priest (m)
Potestas, potestatis - power (f)
Pretium - price
Cito - quickly
Corrigo, corrigere, correxi, correctus - to correct
Fero, ferre, tuli, latus - to carry
       Affero, afferre, attuli, allatus - to carry forth
       Aufero, auferre, abstuli, ablatus - to carry off, to carry away
       Offero, offerre, obtuli, oblatus - to offer
       Perfero, perferre, pertuli, perlatus - to carry through, end
       Profero, proferre, protuli, prolatus - to bring forth
Nolo, nolle, nolui - to not want
Occido, occidere, occidi, occisus - to kill
Volo, velle, volui - to wish, want

Chapter Twenty-seven

Annus - year
Caput, capitis - head (n)
Columba - dove
Mensis, mensis - month (m)
Rectus - right
Dein/Deinde - then
Magnopere - greatly
Parum - a little
Velociter - quickly
Confido, confidere, confisus - to trust
Oportet - it is necessary, must
Minuo, minuere, minui, minutus - to diminish
Nego, negare, negavi, negatus - to deny, say no
Sino, sinere, sivi, situs - to permit
Subjicio, subjicere, subjeci, subjectus - to submit, subject

Chapter Twenty-eight

Si - if
Juxta - next to, according to (+acc.)
Lectio, lectionis - reading (f)
Merum - undiluted wine
Speculum - mirror
Utilis, utilis - useful
Vitium - vice
Itaque - therefore, in this way
Umquam - ever
Uxor, uxoris - wife (f)
Esurio, esurire, esurivi, esuritus - to hunger
Odi, odisse, osus - to hate (only perfect system forms, but with present system meanings)
Opto, optare, optavi, optatus - to desire

Chapter Twenty-nine

Unus - one
Duo - two
Tres - three
Quattuor/Quatuor - four
Quique - five
Sex - six
Septem - seven
Octo - eight
Novem - nine
Decem - ten
Viginti - twenty
Triginta - thirty
Quadraginta - forty
Centum - hundred
Mille - thousand
Primus - first
Secundus - second
Tertius - third
Quartus - fourth
Quintus - fifth
Sextus - sixth
Septimus - seventh
Octavus - eighth
Nonus - ninth
Decimus - tenth
Vigesimus - twentieth

Chapter Thirty

Cura - care
Laetus - happy
Pes, pedis - foot (m)
Proximus - nearest, neighbor
Adhuc - thus far, still
Inde - from then, thence
Confiteor, confiteri, confessus - to confess, give thanks
Gradior, gradi, gressus - to go
Laetor, laetari, laetatus - to rejoice
Loquor, loqui, locutus - to speak
Morior, mori, mortuus - to die (future active participle: *moriturus*)
Operor, operari, operatus - to work
Patior, pati, passus - to suffer
Sequor, sequi, secutus - to follow
Tueor, tueri, tuitus - to gaze at
Veneror, venerari, veneratus - to venerate

Chapter Thirty-one

Durus - hard
Gravis, gravis - heavy, serious
Scelus, sceleris - crime, villainy (n)
Tardus - slow, late
Jugiter - perpetually
Eo, ire, ii/ivi, itus - to go
       Pereo, perire, perii, peritus - to perish
       Queo, quire, quii, quitus - to be able
Irascor, irasci, iratus - to be angry
Memini, meminisse - to remember (only perfect system forms, but with present system meanings)
Tribuo, tribuere, tribui, tributus - to grant, allow

Chapter Thirty-two

Sive… sive - whether… or
Carmen, carminis - song (n)
Ceterus - the rest, the other
Dubius - dubious, doubtful
Par, paris - equal
Veraciter - truthfully
Erro, errare, erravi, erratus - to error
Lugeo, lugere, luxi, luctum - to mourn, lament

Orior, oriri, ortus - to rise
Pendo, pendere, pependi, pensus - to hang
Percipio, percipere, percepi, perceptus - to perceive
Percutio, percutere, percussi, percussus - to pierce
Precor, precari, precatus - to pray to, beseech
Utor, uti, usus - to use (+abl.)

Chapter Thirty-three

Ager - field
Avarus - greedy
Comes, comitis - companion (m/f)
Custodia - protection
Miles, militis - soldier (m)
Mitis, mitis - meek
Pecunia - money
Praesul, praesulis - protector (m)
Ubique - everywhere
Pello, pellere, pepuli, pulsus - to hurl out
Posco, poscere, poposci - to request
Puto, putare, putavi, putatus - to think, consider

Glossary

A - from, by (+abl.)

Ab - from, by (+abl.)

Ac - and, but

Accendo, accendere, accendi, accensus - to kindle

Accipio, accipere, accepi, acceptus - to accept, receive

Ad - towards (+acc.)

Adhuc - thus far, still

Adjuvo, adjuvare, adjuvi, adjutus - to help

Adsum, adesse, adfui, adfutus - to be present, become present

Affero, afferre, attuli, allatus - to carry forth

Ager - field

Agnosco, agnoscere, agnovi, agnitus - to acknowledge, realize

Agnus - lamb

Ago, agere, egi, actus - to do, give

Ajo, ajere - to say (conjugates like 4th: i.e. *ajo, ais, ait, aimus, aitis, ajunt, etc.*)(often has past tense meaning in the Vulgate Bible)

Aliquis, aliquid - anyone, anything

Alius, alia, aliud - other, another

Almus - kind

Alter - other, another

Altus - high, tall, deep

Ambulo, ambulare, ambulavi, ambulatus - to walk

Amica - friend (f)

Amo, amare, amavi, amatus - to love

Amor, amoris - love (m)

An - or, whether

Ancilla - maid-servant, slave-woman

Anima - soul

Animus - spirit, soul

Annus - year

Ante - before (+acc.)

Antequam - before

Antiquus - ancient

Aperio, aperire, aperui, apertus - to open

Appareo, apparere, apparui, apparitus - to appear

Apud - at (+acc.)

Aqua - water

Ara - altar

Ardeo, ardere, arsi, arsus - to burn

Armum - weapon (always plural)

Ars, artis - art (f)

Aspicio, aspicere, aspexi, aspectus - to look at, watch

Astrum - star

At - and, but

Atque - and, but

Audeo, audere, ausus - to dare

Audio, audire, audivi, auditus - to hear, listen to

Aufero, auferre, abstuli, ablatus - to carry off, to carry away

Auris, auris - ear (f)

Aurora - dawn

Aurum - gold

Aut - either, or

Autem - however

Auxilium - help

Avarus - greedy

Ave - Hail!

Beatus - blessed

Bellum - war

Bene - well

Benedico, benedicere, benedixi, benedictus - to bless (+dat.) (imperative singular: *benedic*)

Benedictus - blessed

Bibo, bibere, bibi, bibitus - to drink

Bonus - good

Brachium - arm

Brevis, brevis - short

Cado, cadere, cecidi, casus - to fall

Caeca - blind

Caelestis, caelestis - heavenly

Caelum - sky, heaven (alternative nom.pl. *caeli*, acc.pl. *caelos*)

Caligo, caliginis - gloom, fog, darkness (f)

Canis, canis - dog (m/f)

Cano, canere, cecini, cantus - to sing about

Canto, cantare, cantavi, cantatus - to sing

Caput, capitis - head (n)

Caritas, caritatis - love, charity (f)

Carmen, carminis - song (n)

Caro, carnis - flesh (f)

Carus - dear

Castus - chaste, pure

Cena - dinner, supper

Centum - hundred

Certus - certain

Cesso, cessare, cessavi, cessatus - to cease

Ceterus - the rest, the other

Cibus - food

Cito - quickly

Civitas, civitatis - state, city (f)

Clamo, clamare, clamavi, clamatus - to call, shout

Clarus - clear, renowned

Claudo, claudere, clausi, clausus - to close, shut

Clavis, clavis - key (f)

Coelum - sky, heaven (alternative nom.pl. *coeli*, acc.pl. *coelos*)

Coena - dinner, supper

Coepi, coepisse, coeptus - to have begun, began (only in perfect tenses)

Cogito, cogitare, cogitavi, cogitatus - to think

Cognosco, cognoscere, cognovi, cognitus - to know, recognize

Columba - dove

Comes, comitis - companion (m/f)

Condo, condere, condidi, conditus - to build, make, put together

Confido, confidere, confisus - to trust

Confiteor, confiteri, confessus - to confess, give thanks

Conspectus - sight (4)

Contra - against (+acc.)

Cor, cordis - heart (n)

Coram - in the presence of, before (+acc.)

Cornu - horn (4) (n)

Corona - crown

Corpus, corporis - body (n)

Corrigo, corrigere, correxi, correctus - to correct

Cras - tomorrow

Credo, credere, credidi, creditus - to believe (+dat.)

Cresco, crescere, crevi, cretus - to grow

Crux, crucis - cross (f)

Culpa - fault

Cum - with (+abl.)

Cunctus - all

Cupio, cupere, cupivi, cupitus - to desire

Cur - why?

Cura - care

Curro, currere, cucurri, cursus - to run

Custodia - protection

Custodio, custodire, custodivi, custoditus - to guard

Custos, custodis - guard (m)

De - down from, about (+abl.)

Debeo, debere, debui, debitus - to ought, owe

Decem - ten

Decimus - tenth

Decor, decoris - honor, glory (m)

Decorus - adorned, honored

Decus, decoris - honor, glory (n)

Deficio, deficere, defeci, defectus - to fail

Dein - then

Deinde - then

Delecto, delectare, delectavi, delectatus - to delight

Deprecatio, deprecationis - prayer (f)

Desidero, desiderare, desideravi, desideratus - to desire

Despero, desperare, desperavi, desperatus - to despair

Despicio, despicere, despexi, despectus - to despise, look down on

Desum, deesse, defui, defutus - to be lacking

Deus - God

Dextera - right hand

Dextra - right hand

Dico, dicere, dixi, dictus - to say (imperative singular: *dic*)

Dies - day (m)

Dignus - worthy

Dilectio, dilectionis - love (f)

Diligo, diligere, dilexi, dilectus - to love

Dimitto, dimittere, dimisi, dimissus - to send away (+acc.), forgive (+dat.)

Dirigo, dirigere, direxi, directus - to guide, direct

Discipulus - student

Disco, discere, didici, discitus - to learn

Dispono, disponere, disposui, dispositus - to arrange

Diu - for a long time

Divitia - riches, wealth

Do, dare, dedi, datus - to give

Doceo, docere, docui, doctus - to teach

Doleo, dolere, dolui, dolitus - to mourn, suffer

Dolor, doloris - suffering, sorrow (m)

Dominus - lord

Domus - home, house (2/4)

Donec - until

Dono, donare, donavi, donatus - to grant

Donum - gift

Dormio, dormire, dormivi/dormii, dormitus - to sleep

Dubius - dubious, doubtful

Duco, ducere, duxi, ductus - to lead (imperative singular: *duc*)

Dulcis, dulcis - sweet

Dum - while

Duo - two

Durus - hard

Dux, ducis - leader (m)

E - out of (+abl)

Ecce - look!

Ecclesia - Church
Efficio, efficere, effeci, effectus - to effect, make
Eia - O!
Eligo, eligere, elegi, electus - to choose
Enim - for
Eo, ire, ii/ivi, itus - to go
Ergo - therefore
Erigo, erigere, erexi, erectus - to raise
Erro, errare, erravi, erratus - to error
Est - is
Esurio, esurire, esurivi, esuritus - to hunger
Et - and, also
Etiam - also, even
Etsi - even if
Eum - him (acc.)
Evangelium - gospel
Ex - out of (+abl)
Exaudio, exaudire, exaudivi, exauditus - to hear (clearly), listen to
Excelsus - highest
Exercitus - army (4)
Exoro, exorare, exoravi, exoratus - to plead, pray fervently to
Extra - outside, beyond (+acc.)
Facies - face
Facio, facere, feci, factus - to do, make (imperative singular: *fac*)
Fallo, fallere, fefelli, falsus - to deceive
Fama - fame
Famulus - servant
Felix, felicis - happy
Fero, ferre, tuli, latus - to carry
Festino, festinare, festinavi, festinatus - to hurry
Fides - faith
Filius - son
Finis, finis - end (m)
Fio, fieri, factus - to become, happen
Fleo, flere, flevi, fletus - to weep, cry
Flos, floris - flower (m)
Flumen, fluminis - river (n)
Fluo, fluere, fluxi, fluxus - to flow
Fons, fontis - fountain (m)
Foras - outside
Foris - outside
Fortis, fortis - strong
Fortuna - fortune
Frater, fratris - brother (m)

244

Fructus - fruit (4)

Fugio, fugere, fugi, fugitus - to flee

Fulgeo, fulgere, fulsi - to gleam, glisten

Fundo, fundare, fundavi, fundatus - to found, establish

Fundo, fundere, fudi, fusus - to pour

Gaudeo, gaudere, gavisus - to rejoice

Gaudium - joy

Gemo, gemere, gemui, gemitus - to groan

Gens, gentis - tribe, nation (f)

Gigno, gignere, genui, genitus - to beget, conceive, give birth to, create

Gloria - glory

Gradior, gradi, gressus - to go

Gratia - grace, thanks

Gratis - freely

Gravis, gravis - heavy, serious

Gustus - taste (4)

Habeo, habere, habui, habitus - to have

Hic - here

Hic - this

Hodie - today

Homo, hominis - human (m)

Hora - hour

Hortus - garden

Hostis, hostis - enemy (m)

Ibi - there

Ideo - therefore

Igitur - therefore

Ignis, ignis - fire (m)

Ille, illa, illud - that

Imago, imaginis - image (f)

Immolo, immolare, immolavi, immolatus - to sacrifice

Impleo, implere, implevi, impletus - to fill

In - in, on (+abl.), into, onto (+acc.)

Inde - from then, thence

Inferus - hell, underworld (usually plural)

Inimicus - enemy

Initium - beginning

Insidia - snare

Intelligo, intelligere, intellexi, intellectus - to understand

Intendo, intendere, intendi, intentus - to focus, intend

Inter - between, among (+acc.)

Interea - meanwhile

Intra - within (+acc.)

Invenio, invenire, inveni, inventus - to find

Invicem - one another, mutually

Ipse - himself, the same (refers back to a previously mentioned noun or pronoun)

Ira - anger

Irascor, irasci, iratus - to be angry

Iste - that, this

Ita - thus, so

Itaque - therefore, in this way

Iter, itineris - journey (n)

Iterum - again

Jacio, jacere, jeci, jactus - to throw

Jam - now, already

Janua - door

Jubeo, jubere, jussi, jussus - to order

Jucundus - pleasant, delightful

Judex, judicis - judge (m)

Judicium - judgment

Jugiter - perpetually

Jungo, jungere, junxi, junctus - to join

Juvo, juvare, juvi, jutus - to help

Juxta - next to, according to (+acc.)

Lacrima - tear

Laetor, laetari, laetatus - to rejoice

Laetus - happy

Lateo, latere, latui - to be hidden

Latro, latronis - thief (m)

Latus, lateris - side (n)

Laudo, laudare, laudavi, laudatus - to praise

Laus, laudis - praise (f)

Lavo, lavare, lavi, lavatus - to wash

Lectio, lectionis - reading (f)

Lego, legere, legi, lectus - to read

Leo, leonis - lion (m)

Levo, levare, levavi, levatus - to lift

Lex, legis - law (f)

Liber - book

Liber - free

Lignum - wood

Lingua - tongue

Locus - place

Loquor, loqui, locutus - to speak

Luceo, lucere, luxi - to shine

Lugeo, lugere, luxi, luctum - to mourn, lament

Lumen, luminis - light, lamp (n)

Luna - moon

Lux, lucis - light (f)

Magister - teacher

Magnopere - greatly

Magnus - great

Malus - bad

Mandatum - command

Manduco, manducare, manducavi, manducatus - to chew, eat

Mane - morning (n) (invariable)

Maneo, manere, mansi, mansus - to remain

Manus - hand (4) (f)

Mare, maris - sea (n)

Mater, matris - mother (f)

Me - me (acc.sg.)

Medius - middle

Mel, mellis - honey (n)

Membrum - limb, member

Memini, meminisse - to remember (only perfect system forms, but with present system meanings)

Mens, mentis - mind (f)

Mensis, mensis - month (m)

Mereo, merere, merui, meritus - to merit (has the same meaning in the passive)

Merum - undiluted wine

Meus - my

Miles, militis - soldier (m)

Mille - thousand

Minuo, minuere, minui, minutus - to diminish

Mirus - marvelous

Misceo, miscere, miscui, mixtus - to mix

Miserere - have mercy! (+dat. or +gen.)

Misericordia - mercy

Mitis, mitis - meek

Mitto, mittere, misi, missus - to send

Modus - moderation

Moneo, monere, monui, monitus - to warn

Mons, montis - mountain (m)

Monstro, monstrare, monstravi, monstratus - to show

Mora - delay

Morior, mori, mortuus - to die (future active participle: *moriturus*)

Mors, mortis - death (f)

Mortuus - dead

Mos, moris - custom (m)

Mulier, mulieris - woman (f)

Multus - much

Mundus - clean

Mundus - world

Munus, muneris - gift, service (n)

Muto, mutare, mutavi, mutatus - to change

Nam - for

Nascor, nasci, natus - to be born (only passive)

Nec - neither, nor

Nego, negare, negavi, negatus - to deny, say no

Nemo, neminis - no one

Neque - neither, nor

Nescio, nescire, nescivi, nescitus - to not know

Nihil - nothing

Nil - nothing

Nimis - very much, too much, excessively

Nimium - very much, too much, excessively

Nisi - except, unless

Nobis - us (dat. or abl.)

Nolo, nolle, nolui - to not want

Nomen, nominis - name (n)

Non - not

Nondum - not yet

Nonus - ninth

Nosco, noscere, novi, notus - to know

Noster - our

Novem - nine

Novus - new

Nox, noctis - night (f)

Nubes, nubis - cloud (f)

Nullus - no, none

Numquam - never

Nunc - now

Nusquam - nowhere

Obsto, obstare, obstiti, obstatus - to stand in the way

Occido, occidere, occidi, occisus - to kill

Octavus - eighth

Octo - eight

Oculus - eye

Odi, odisse, osus - to hate (only perfect system forms, but with present system meanings)

Offero, offerre, obtuli, oblatus - to offer

Omnis, omnis - every, all

Operor, operari, operatus - to work

Oportet - it is necessary, must

Oppono, opponere, opposui, oppositus - to set

Opto, optare, optavi, optatus - to desire

Opus, operis - work, deed (n)

Orbis, orbis - world, globe (m)

Ordo, ordinis - order (m)

Orior, oriri, ortus - to rise

Orno, ornare, ornavi, ornatus - to adorn

Oro, orare, oravi, oratus - to pray

Os, oris - mouth (n)

Ossum - bone

Ostendo, ostendere, ostendi, ostentus - to show

Paeniteo/poeniteo, paenitere/poenitere, paenitui/poenitui - to repent (often used impersonally, e.g. *paenitet me* - I repent)

Panis, panis - bread (m)

Papa - pope

Par, paris - equal

Parco, parcere, peperci, parsus - to spare (+dat.)

Paro, parare, paravi, paratus - to prepare

Pars, partis - part (f)

Parum - a little

Parvus - small

Pasco, pascere, pavi, pastus - to shepherd

Pater, patris - father (m)

Patior, pati, passus - to suffer

Patria - homeland

Paucus - few

Pauper, pauperis - poor

Pax, pacis - peace (f)

Peccatum - sin

Pectus, pectoris - chest (n)

Pecunia - money

Pello, pellere, pepuli, pulsus - to hurl out

Pendo, pendere, pependi, pensus - to hang

Per - through (+acc.)

Percipio, percipere, percepi, perceptus - to perceive

Percutio, percutere, percussi, percussus - to pierce

Perdo, perdere, perdidi, perditus - to ruin, destroy, lose

Pereo, perire, perii, peritus - to perish

Perfero, perferre, pertuli, perlatus - to carry through, end

Periculum - danger

Pes, pedis - foot (m)

Peto, petere, petivi/petii, petitus - to ask, seek

Petra - rock

Placeo, placere, placui, placitus - to be pleasing

Plebs, plebis - common people (f)

Plena - full

Poena - punishment

Pono, ponere, posui, positus - to put
Pontifex, pontificis - high priest (m)
Pontus - sea
Populus - people
Porta - gate
Porto, portare, portavi, portatus - to carry
Posco, poscere, poposci - to request
Possideo, possidere, possedi, possessus - to possess
Possum, posse, potui - to be able
Potens, potentis - powerful
Potestas, potestatis - power (f)
Potus - drink (4)
Praecipio, praecipere, praecepi, praeceptus - to order, command (+dat.)
Praedico, praedicare, praedicavi, praedicatus - to preach, proclaim
Praelium - battle
Praemium - reward
Praesidium - protection
Praesto, praestare, praestiti, praestitus - to stand in front, bestow
Praesul, praesulis - protector (m)
Precor, precari, precatus - to pray to, beseech
Pretiosus - precious
Pretium - price
Primus - first
Primus - first
Princeps, principis - prince (m)
Principium - beginning
Pro - for (+abl)
Proelium - battle
Profero, proferre, protuli, prolatus - to bring forth
Propitius - favorable, kind
Proprius - one's own
Propter - on account of, because of (+acc.)
Propterea - therefore
Prosum prodesse, profui, profutus - to be beneficial, be useful
Protego, protegere, protexi, protectus - to protect
Proximus - nearest, neighbor
Puer - boy
Pugno, pugnare, pugnavi, pugnatus - to fight
Pulcher - beautiful
Pulso, pulsare, pulsavi, pulsatus - to knock
Puto, putare, putavi, putatus - to think, consider
Quadraginta - forty
Quaero, quaerere, quaesivi, quaesitus - to seek
Quaeso, quaesere, quaesivi, quaesitus - to seek

Qualis - as, what sort
Quando - when
Quantus - how great, how much
Quartus - fourth
Quasi - as, as if
Quatuor - four
Quattuor - four
-que - and
Queo, quire, quii, quitus - to be able
Qui, quae, quod - who, which
Quia - because, that
Quiesco, quiescere, quievi, quietus - to be still, rest
Quintus - fifth
Quique - five
Quod - because, that
Quomodo - how?
Quoniam - because, that
Quoque - also
Radix, radicis - root (f)
Ratio, rationis - reason (f)
Rectus - right
Regina - queen
Regno, regnare, regnavi, regnatus - to reign
Regnum - kingdom
Rego, regere, rexi, rectus - to guide, rule
Requies, requietis - rest (acc.sg: *requiem*) (f)
Res - thing
Reus - guilty
Rex, regis - king (m)
Rideo, ridere, risi, risus - to laugh, smile
Rogo, rogare, rogavi, rogatus - to ask, ask for
Sacer - holy, sacred
Sacerdos, sacerdotis - priest (m)
Saeculum - a very long time, an age, forever
Saepe - often
Salio, salire, salui, saltus - to leap
Salus, salutis - salvation (f)
Saluto, salutare, salutavi, salutatus - to greet, preserve, save
Salve - be well, hello
Salvo, salvare, salvavi, salvatus - to save
Salvus - saved
Sanctus - holy
Sanguis, sanguinis - blood (m)
Sanus - healthy

Sapiens, sapientis - wise
Sapientia - wisdom
Scelus, sceleris - crime, villainy (n)
Scio, scire, scivi, scitus - to know
Scribo, scribere, scripsi, scriptus - to write
Secundum - according to (+acc.)
Secundus - second
Sed - but
Sedeo, sedere, sedi, sessus - to sit
Semetipse - himself
Semper - always
Sempiternus - eternal, everlasting
Sentio, sentire, sensi, sensus - to sense
Septem - seven
Septimus - seventh
Sequor, sequi, secutus - to follow
Sermo, sermonis - speech, word (m)
Servio, servire, servivi, servitus - to serve (+dat.)
Servo, servare, servavi, servatus - to keep, preserve
Servus - slave, servant
Sex - six
Sextus - sixth
Si - if
Sic - thus, just so, in this way
Sicut - like, as
Sicuti - like, as
Signum - sign
Sileo, silere, silui - to be silent
Silva - forest
Similis, similis - similar
Simul - at the same time
Sine - without (+abl.)
Sino, sinere, sivi, situs - to permit
Sitio, sitire, sitivi - to thirst
Sive - whether, or
Sol, solis - sun (m)
Soleo, solere, solitus - to be in the habit of, used to
Solum - alone
Solus - only, alone
Solvo, solvere, solvi, solutus - to free, release
Somnus - sleep
Soror, sororis - sister (f)
Speculum - mirror
Spero, sperare, speravi, speratus - to hope

Spes - hope

Spicio, spicere, spexi, spectus - to watch

Spiritus - spirit (4)

Spiro, spirare, spiravi, spiratus - to breathe

Statim - immediately

Stella - star

Sto, stare, steti, status - to stand

Suavis, suavis - sweet, pleasant

Sub - under (+abl.)

Subjicio, subjicere, subjeci, subjectus - to submit, subject

Sum, esse, fui, futus - to be

Sumo, sumere, sumpsi, sumptus - to take, receive

Super - over, above, on (+acc.)

Supernus - upper, heavenly

Superus - upper

Supra - over, above (+acc.)

Surgo, surgere, surrexi, surrectus - to rise, arise

Suscipio, suscipere, suscepi, susceptus - to receive, support

Taceo, tacere, tacui, tacitus - to refrain from speaking, be quiet

Talis - so, thus

Tam - so, so much

Tamen - nevertheless

Tamquam - just as, as much as

Tango, tangere, tetigi, tactus - to touch

Tanquam - just as, as much as

Tantum - only

Tantus - so great, so much

Tardus - slow, late

Te - you (acc.sg.)

Tego, tegere, texi, tectus - to cover

Temetipse - yourself

Tempus, temporis - time (n)

Tenebra - shadow (almost always plural)

Teneo, tenere, tenui, tentus - to hold

Terminus - end

Terra - earth, land

Terreo, terrere, terrui, territus - to terrify

Tertius - third

Testis, testis - witness (m/f)

Timeo, timere, timui - to fear

Timor, timoris - fear (m)

Tollo, tollere, sustuli, sublatus - to take away, take up

Totus - all, whole

Trado, tradere, tradidi, traditus - to hand over

Trans - across (+acc.)

Tremo, tremere, tremui, tremitus - to tremble

Tres - three

Tribuo, tribuere, tribui, tributus - to grant, allow

Tribus - tribe (4) (f)

Triginta - thirty

Tueor, tueri, tuitus - to gaze at

Tunc - then

Turris, turris - tower (f)

Tutus - safe

Tuus - your

Ubi - where

Ubique - everywhere

Ullus - any

Umbra - shadow

Umquam - ever

Unde - whence, from where

Unus - one

Unus - one

Usque - all the way

Ut - as

Ut - if only, would that

Ut - in order that, so that, that

Utilis, utilis - useful

Utinam - if only, would that

Utor, uti, usus - to use (+abl.)

Uxor, uxoris - wife (f)

Vado, vadere, vasi - to go

Valde - very

Vale - be healthy, goodbye

Vanus - vain, pointless

Vel - or

Velociter - quickly

Veneror, venerari, veneratus - to venerate

Venio, venire, veni, ventus - to come

Ventus - wind

Veraciter - truthfully

Verbum - word

Vere - truly

Veritas, veritatis - truth (f)

Vero - truly

Verto, vertere, verti, versus - to turn

Verus - true

Vesper, vesperis - evening (m) (but sometimes declined as a 2m noun)

Vester - your (pl.)

Vetus, veteris - old

Via - way

Video, videre, vidi, visus - to see

Vigesimus - twentieth

Viginti - twenty

Vincio, vincire, vinxi, vinctus - to chain, bind

Vinco, vincere, vici, victus - to conquer

Vinculum - chain

Vinum - wine

Vir - man

Virtus, virtutis - virtue, courage (f)

Vita - life

Vitium - vice

Vivo, vivere, vixi, victus - to live

Vivus - alive

Voco, vocare, vocavi, vocatus - to call

Volo, velle, volui - to wish, want

Volo, volare, volavi, volatus - to fly

Voluntas, voluntatis - will, free will (f)

Vox, vocis - voice (f)

Vulnus, vulneris - wound (n)

Vultus - face, facial expression (4)

Index

Printed in Great Britain
by Amazon